HELIO VERA

EN BUSCA DEL HUESO PERDIDO

(TRATADO DE PARAGUAYOLOGÍA)

1er. Premio V Centenario - 1988 - Ensayo

1ª Edición: Mayo de 1990
2ª Edición: Junio de 1990
3ª Edición: Octubre de 1990
4ª Edición: Agosto de 1991
5ª Edición: Marzo de 1992
6ª Edición: Setiembre de 1993

©  ediciones

Helio Vera

Eduardo V. Haedo 427 - Tel.: 498 040
Edición al cuidado del Prof. Eustaquio Funes
Tapa: Julián de la Herrería. Cerámica de temas populares
Composición y Armado: Aguilar & Céspedes Asoc.
Tirada: 750 ejemplares
Hecho el depósito que establece la Ley

A mi comadre Teresa, por todo.

PRÓLOGO

Confieso que mi conocimiento de Helio Vera no pasa de ciertos episodios espasmódicos que me tironean de nuestro toedium vitae a intempestivos chubascos de ingenio y de luz, como cuando me propinó su impagable y primerizo cuento de ANGOLA. Y ahora -desde la más pura estirpe del SATIRICÓN-, una obra de mayor aliento, si cabe el término; en que el aguijón malevolente y jaranero de las tiradas de Helio se ceba en lo sacrosanto de aquella "paraguayidad" tan trajinada por una ideología todavía en boga cuando él tuvo a bien sentarse a discutir sobre las tumefacciones de nuestras más recurrentes falsedades y, acaso por ello mismo, de nuestra más acendrada identidad.

También confieso que alguna vez me sacaron de quicio sus sesgos zumbones cuando más apropiados parecían los trenos de Jeremías ante el cuadro desolador de la así llamada cultura paraguaya. Aunque, ya repuesto de sus aspersiones cáusticas, recordaba aquella otra sátira implacable de León Cadogan -fuente inagotable de todas nuestras etopeyas-, o en otro plano, la elaborada y barroca en su conceptismo, de uno de nuestros más geniales autoexiliados: Juan Santiago Dávalos. Helio es pariente de ambos, en cuanto esgrime la ironía como método para remover con escalpelo de cirujano los tejidos adiposos que encubren las tumoraciones profundas. Pero les lleva en ventaja proceder de esa extraña atmósfera de los círculos guaireños en que el humanismo más empinado arrastra la polvareda del entorno rural, como en las impagables alegóricas de otro vecino de Helio, Carlos Martínez Gamba, tan díscolo como él, y como él ahincado en encarnizado amor al terruño. Porque ambos, entiendo, alcanzan proyección universal en cuanto se remiten a lo cotidiano del mundillo guaireño lanzado a escala de paradigmas que arrojan inusitada luz sobre un campo más confuso -por lo ideologizado- de la "paraguayología", feliz neologismo que a la vez pone en solfa todos los alardeos pedantescos de aproximación a escala platónica.

7

Porque de eso se trata, en su impagable estilo de escribir a dos manos: por una, una festiva e interminable sátira demoledora de cuanto lugar común nos queda en tantos años de acumular enjambres de mitos y de inflarlos como globos cautivos a la venta en nuestras ferias y academias. Por otra, un discurrir a ritmo de peatón curioso -pero siempre alerta y crítico- por los atajos y callejones de la cultura paraguaya, entendida ya aquí en su sesgo antropológico, como formas de vida que se afirman en un grupo humano y desafían los embates del cambio. Es precisamente a este nivel del "ensayo" -otra palabra que divierte a nuestro autor- en que se afirma el texto en un mensaje que trasciende la broma y nos aproxima a una realidad bastante persuasiva por lo concreta y coherente.

Ni tan apologeta, como Manuel Domínguez, ni tan negador, como Cecilio Báez -en algún trabajo de hace tiempo asimilaba a aquéllos y a su generación con los "Hijos del trueno", por su tremendismo-. En Helio se da una extraña contemplación estética del tema-objeto; más hacia la vena de un Cervantes, con irremediable amor y amplitud de miras.

Que su **ensayo** ofrece flancos desguarnecidos a los mandobles que podrá recibir? -Con paraguayísima sagacidad, él se acoge ya de antemano al "Recurso del método", donde nos convida en un rondó caprichoso a la fiesta, con abundancia entrecomillada de citas sobre el alcance y rigor del género por él cultivado. Extraña ironía de quien, en largas entregas periodísticas, hacía mofa de los que acuñan epítetos para lo "paraguayo"; y ahora, por fuerza de su genio -no de su ingenio-, aporta la más redonda aproximación al hombre paraguayo que en sus anteriores artículos parecía cuestionar, un poco en la mira de un humanismo universal.

Si mi prólogo tiene el mérito cuando menos de remitir al lector al libro que ahora sale a luz, ya tendría suficiente justificación. En cuanto a mi, prometo ser su primer y asiduo consumidor, individual y grupal. (A nuestro estilo pirata, en la Universidad, hace tiempo que su ENSAYO SOBRE LA PARAGUAYOLOGIA figura en mis catálogos bibliográficos, por arte de las impúdicas fotocopias).

Ramiro Domínguez

Asunción, 14 de marzo de 1990

INTRODUCCION DEL AUTOR

Muchos lúcidos ensayistas escriben para enseñar. Otros, para ordenar sus pensamientos sobre temas que los intrigan o confunden. Un compatriota —Eligio Ayala— dijo haber escrito un libro con el humilde objeto de aprender. Bajo todos estos fundamentos sospecho un motivo común: la tentación de derrotar a la muerte mediante la anhelada gloria de la letra impresa que, imaginaria o realmente, supervivirá a su autor.

Declaro haber comenzado este ensayo con una preocupación más trivial, que poco tiene que ver con la inmortalidad y sí con un objetivo bien efímero: divertirme. Por eso desautorizo al lector que busque el elevado signo de la sabiduría, de la penetración científica o de la solidez pedagógica en las desordenadas páginas que siguen a continuación.

Rehúso pontificar, y dictar cátedra sobre nada. Me limitaré a recoger observaciones mías y ajenas, en un contubernio caótico que podría causar un patatús a un científico de pelo en pecho. Quien tenga el coraje de llegar hasta el final advertirá que sólo traté de reunir elementos de juicio para que todos podamos divertirnos. Para que ahuyentemos brevemente a la argelería, ese rasgo del carácter que, según algunos detractores, forma parte ostensible de la psicología colectiva paraguaya.

Este libro requiere de algunas explicaciones. Comencemos por el título, que podría sugerir falsamente que me estoy aventurando en la paleontología. Pero no es así. El doctor Rengger cuenta que cierta vez el Dictador Francia le pidió que hiciese la autopsia de un paraguayo. Debía haber, en algún sitio todavía no descubierto, un hueso de más. Allí estaría la explicación de por qué el paraguayo no habla recio y no mira de frente cuando está ante otra persona. Esta anécdota explica el título de la obra. La preocupación por encontrar el hueso escondido preside esta obra.

En el título, el lector culto adivinará además, y no estará equivocado, un parafraseo —forma elegante del plagio— de la vo-

9

luminosa obra de Proust, la cual, para escándalo de teoretas y sabihondos, sigue sin poderme conmover.

Otra explicación. Este libro fue escrito durante una época de la que prefiero no acordarme. Fue pensado, escrito y entregado a un concurso de ensayos durante el Gobierno del intrépido cadete de Boquerón, quien, según sus entusiastas biógrafos, remangó — él solo— al enemigo hasta la cordillera de los Andes. Suerte que lo hayan frenado, que si no, llegaba hasta el Amazonas. La época en la que el ensayo fue parido explica, como lo notará quien lo lea, muchas de las cosas que en él se dicen, así como la manera en que se dicen.

Es imprescindible otro detalle. El texto original, ganador del premio, sufrió severas modificaciones. No es lo mismo escribir para un jurado que escribir para el público. Por eso me vi obligado a agregarle notas y capítulos y transformar profundamente su estructura. La obra engordó escandalosamente, como un dirigente político catapultado a un opulento cargo público.

Y ahora hablemos brevemente del objetivo de este texto: reflexionar irresponsablemente, para mi exclusivo solaz, sobre el tema de la identidad nacional. La primera pregunta sería eso mismo: ¿Existe la identidad cultural paraguaya? El paraguayo cree que sí. Algunas expresiones del imaginario colectivo local insisten en ello: "Paraguay ndoguevíri"; "paraguay ndokuarúiva ha'eño"; "más paraguayo que la mandioca"; "el alma de la raza"; "el mejor soldado del mundo"; "paraguayo ikasõ petei ha ikuña mokõi", etcétera. Es decir, ciertos rasgos nos diferenciarían de los demás pueblos del mundo y nos autorizarían a postular un objeto de análisis: "La paraguayidad" o, más simplemente, "la identidad nacional".

Se han dicho ya tantas tonterías sobre la identidad nacional que ésta, que suscribo, no tendría siquiera el mérito de la novedad. Será, a lo sumo, una más. Pero no desdeñemos a la tontería. Ortega se preguntaba por qué nunca se había escrito un ensayo sobre ella. Creo que el maestro no estaba bien informado. Buena parte de lo que se ha escrito en la historia del pensamiento debe ser clasificado, sin pudor, como tontería. Ella, sobre todo en su forma radical —la estupidez—, llena inmensas bibliotecas y ha producido acontecimientos descollantes en el itinerario del género humano. Ha sobrevivido —como lo prueba Tabori en su venenosa "Historia de la Estupidez Humana"— a millones de impactos directos. Ninguno ha logrado marchitar su lozanía ni su capacidad de producir hechos retumbantes.

No cualquiera, por más que lo intente, logra ser estúpido en serio. Ello exige esfuerzo, fe, dedicación, coraje disciplina, sistema y metodología. Políticos eminentes, científicos de alto coturno, artistas encumbrados han fracasado por vacilar en el último segundo. Muchas obras no lo logran, a pesar de intentarlo con toda seriedad. Temo que ésta, que pongo en manos del lector, pese a sus buenas intenciones en ese sentido, no haya logrado alcanzar la privilegiada meta de la estupidez.

Si el lector juzga que no he llegado al podio, le ruego acepte mis humildes excusas. Me servirá de consuelo el lema de las Olimpiadas: lo importante es competir. Quedaré decepcionado mas no humillado. Sólo rogaré que la acepte como una modesta pero sincera aunque fallida contribución al "vyroreí", quehacer al que los paraguayos consagramos tiempo, talento y constancia, y que todavía no ha recibido el homenaje que se merece.

Asunción, diciembre de 1989

I

EN DONDE SE HABLA DE LAS ESCUALIDAS PRETENSIONES DE ESTE ENSAYO Y SE DESCRIBE EL ESFUERZO REALIZADO EN SU PERPETRACION.

PEDAGOGIA CONTUNDENTE

El objetivo confeso de este ensayo es perpetrar un módico y audaz tratado de paraguayología. Ciencia inexistente, impugnarán airadamente los escépticos profesionales, eternos negadores de las glorias patrias, mercenarios contumaces al servicio del oro extranjero. Ciencia que declaro fundada en este mismo acto, replico yo. Fundada al único efecto de contribuir a la exploración de un territorio apasionante, poco o mal conocido, pero que ha intrigado a encumbrados talentos de todas las épocas, desde San Ignacio de Loyola hasta Graham Green, desde Voltaire hasta Carlyle.

Alivia descubrir que estamos aquí ante el desafío de escribir un ensayo y no una monografía científica. El ensayo permite concesiones y libertades que serían repudiadas en una monografía. Podríamos decir que el género cobija, maternalmente, a la improvisación. Y también a la renuencia al rigorismo y a la escualidez metodológica. El que estoy comenzando rehusa, por eso, enmarcarse dentro de ninguna disciplina: ni Antropología Social ni Sociología ni Psicología Social ni Sicología ni Ecología Social. Este ensayo las contiene a todas y a ninguna en particular.

El origen histórico del género puede aclarar cualquier equívoco a quienes se sientan asaltados por la curiosidad o la duda. Se sabe que lo inventó el barón de Montaigne en el siglo XVI para asentar sus ocurrencias más diversas sobre simples incidentes de la vida cotidiana. Lo hacía con expresa exclusión de método alguno y bajo el signo de la duda, motor fundamental del pensamiento. Su insistente pregunta: ¿**Que sais je?** (¿Qué sé yo?) y sus preocupaciones sobre el arte de vivir lo convirtieron en uno de los más notables abogados del escepticismo.

Escribir un ensayo permite pues, discurrir alegremente, con tenaz irresponsabilidad, sobre cualquier tópico elegido al azar. Se trata de una ventaja indudable porque evita la navegación en alta mar al modo de las grandes aventuras del intelecto. Sólo promete al lector un manso viaje fluvial en la lenta estructura de una jangada o de un cachiveo. Itinerario sin sobresaltos, apacible y seguro, con la siempre amigable cercanía de la tierra, pródiga en promesas de techo, pan y abrigo.

UNA DEFINICION AUTORIZADA

La misma definición de "ensayo" nos exime de mayores titubeos. Según el servicial "Diccionario de Literatura Española, de la Revista de Occidente, es nada más —y nada menos— que la siguiente:

"Escrito que trata de un tema, por lo general brevemente, sin pretensión de agotarlo ni de aducir en su integridad las fuentes y las justificaciones. El ensayo es **la ciencia, menos la prueba explícita**, ha dicho Ortega,... tiene una aplicación insustituible como instrumento intelectual de urgencia para anticipar verdades cuya formulación rigurosamente científica no es posible de momento por razones personales o históricas: con fines de orientación e incitación para señalar un tema importante que podría ser explorado en detalle por otros y para estudiar cuestiones marginales y limitadas fuera del torso general de una disciplina"(1). El comentario que antecede lleva la firma de Julián Marías, cuya autoridad hace ociosas más explicaciones. Es suficiente para otorgar una coartada favorable a este trabajo. La paraguayología, como ciencia de reciente creación —tiene apenas un par de páginas de existencia—, no podría ser abordada de otro modo que mediante un ensayo.

LA DESCONFIANZA DE GOG

Estoy, desde luego, eximido de acudir al socorro que pueda prestar la ciencia. No está de más aclararlo. Dejémosla a la gente docta que ha comenzado a invadir nuestro país como los hongos después de la lluvia. A ella se debe el fanático esfuerzo por imponer en nuestra patria esa superstición que creíamos un castigo divino reservado a otras latitudes. Esta cruzada indeseable expone a nuestro pueblo a los rigores de una pavorosa contaminación, de imprevisibles consecuencias.

Todo el mundo sabe que el prestigio de la ciencia se ha visto deteriorado en el siglo XX. Se ha comprobado que sus conclusiones no son tan inexpugnables como se pensaba y que en su nombre se han cometido muchas aberraciones. Está agotado el ingenuo optimismo del movimiento positivista del siglo XIX, que se empeñó en convertirla en poco menos que un objeto de culto. Grave e irreparable error que condujo a la realización de no pocas tonterías. Unamuno desautorizaba con desdén a los sacerdotes de la verdad científica con estas punzantes palabras: "Créame, señor, que por terribles que sean las ortodoxias religiosas son mucho más terribles las ortodoxias científicas"(2).

Son cada vez más quienes la miran con creciente desconfianza. Giovanni Papini, por ejemplo, nos advierte contra ella en su penetrante "Gog", invitándonos a acercarnos a su territorio con numerosas y acentuadas prevenciones. En uno de los relatos de esta obra, su personaje realiza una visita al célebre Thomas Alva Edison, prócer norteamericano de los inventores. El sabio, ya anciano, se despacha en una virulenta invectiva contra la ciencia, que el atribulado Gog escucha estupefacto. Al despedirse, no deja de rogarle hipócritamente: "No cuente usted a nadie que Edison en persona le ha confirmado la bancarrota de la ciencia (3)".

NO ROMPER LOS SELLOS CELESTES

La ciencia, desde luego, no es cosa que deba ser puesta en manos de cualquiera. Abrazada sin tino, puede destruir irreparablemente cerebros limpios de malicia, vírgenes de angustias existenciales, sumergidos como están en esa brutalidad primitiva tan admirada por Rousseau y Montaigne. Sus propietarios, hoscos y primitivos individuos —aunque se cubran la cabeza con una chistera—, son los últimos reductos de la pureza primigenia del Jardín del Edén. Libres, por consiguiente, de las miserias morales de la civilización. Paradigmas de la bestialidad químicamente pura y merecedores, por eso, de la protección generosa de los organismos internacionales, de las universidades, de las fundaciones, de los filántropos aburridos y de las actrices veteranas.

"Además -como advertía el gran Roger Bacon-, **no siempre los secretos de la ciencia deben estar al alcance de todos,** porque algunos podrían utilizarlos para cosas malas. A menudo el sabio debe hacer que pasen por mágicos libros que en absoluto lo son, que sólo contienen ciencia, para protegerlos de miradas indiscretas"(4).

Estas cosas estaban muy claras en la Edad Media. La sabiduría era cosa de los sabios, quienes por nada del mundo la transmitían a nadie. Pero vino la Revolución Francesa y convirtió en religión la tontería de que todos somos iguales y con derecho a penetrar en el palacio de la sabiduría, cuyo puente levadizo jamás estuvo antes habilitado "para todo público".

Además, la gente común merece la protección de los genuinos sabios, quienes deben clausurarle el acceso a los grandes problemas del conocimiento humano. Son incontables los casos de estrés, de histerismo, de neurosis y de angustia existencial que fueron provocados por una malsana y repentina curiosidad intelectual. "Porque a veces es bueno que los secretos sigan protegidos por discursos oscuros... Dice Aristóteles en el libro de los secretos que **cuando se comunican demasiados arcanos de la naturaleza y del arte se rompe un sello celeste, y que ello puede ser causa de no pocos males**"(5).

EL FETICHISMO DEL METODO

Un atributo indispensable de la ciencia —que la caracteriza fielmente, distinguiéndola de cualquier otro tipo de conocimiento— es el método. Objetivo de la metodología es acumular, con ansiedad de avaro, el arsenal de pruebas con el que se otorgará a una tesis la respetada facha de la seriedad. Las pruebas son la pesadilla de todos los que incursionan en las ramas del frondoso árbol de la ciencia. Hacer ciencia es probar. Lo importante es que la probanza haya sido realizada con un método insospechable. La verdad a que se llegue importa menos que el camino para alcanzarla haya sido recorrido con un método correcto.

La verdad lograda será siempre provisional y susceptible de ser revisada más adelante. Pero el método no debe acusar ninguna debilidad: o es científico o no lo es. No habrá retórica capaz de disfrazar carencias profundas en este aspecto. Convoquemos al filósofo inglés Karl Popper a participar de esta discusión. Para él, la verdad no se descubre; se inventa. Solo tendrá vigencia hasta que sea substituida —"falseada", dice explícitamente— por otra verdad. "Falsear" no es desnaturalizar a la verdad; en el vocabulario de Popper, significa substituirla por otra verdad. Hasta que se produzca la irrupción de una nueva teoría que desplace a la anterior, esta será todopoderosa.

LA VERDAD BAJO SOSPECHA

No hay verdad que esté segura para siempre. Estará siempre bajo sospecha, pasible de ser cuestionada. Tarde o temprano alguien podrá impugnarla radicalmente. Ahora bien, la libertad para ejercer esa impugnación —el derecho a la crítica— es fundamental para que se produzca el progreso humano. Sin esa libertad — "sin la libertad de falsear"— el conocimiento se estancará irremediablemente. La facultad de ejercer la crítica es inseparable de la posibilidad de progresar indefinidamente, meta suprema de la civilización occidental.

Vargas Llosa, comentando a Popper, nos dice que "si la **verdad**, si todas las verdades no están sujetas al examen del **juicio y el error**, y si no existe una libertad que permita a los hombres cuestionar y compulsar la validez de todas las teorías que pretenden dar respuesta a los problemas que enfrenten, la mecánica del conocimiento se ve trabada y este puede ser pervertido. Entonces, en lugar de verdades racionales, se entronizan mitos, actos de fe, magia. El reino de lo irracional, del **dogma y el tabú**, recobra sus fueros, como antaño, cuando el hombre no era todavía un individuo racional y libre, sino ente gregario y esclavo, **apenas una parte** de la tribu"(6).

La presunción de tener la verdad al alcance de la mano irrevocablemente es, con seguridad, una de las petulancias más estrepitosas de la humanidad. Esa presunción ha desatado las atrocidades colectivas más impresionantes de la historia del hombre sobre la tierra. No hay nadie más peligroso que quien cree estar en posesión de la verdad y la ha inscripto, bajo su nombre, en el Registro General de la Propiedad.

Poncio Pilatos, inseguro de lo que estaba haciendo bajo la intolerable presión del populacho, preguntó angustiado a Jesús:

"¿Qué es la verdad?". Solo tuvo el silencio por toda respuesta. Dicen que el peso de aquella interrogación lo sumió en una depresión tan profunda de la que sólo pudo salir mediante el suicidio. Pilatos era un romano. Tenía, seguramente, formación filosófica. Por eso dudaba.

PENSAR ENFERMA; NO OLVIDE VACUNARSE

Oscar Wilde, un incorregible irlandés heterodoxo que cultivó el ostensible oficio de escandalizar a la sociedad victoriana, dividía los libros en tres categorías. La primera está formada por los libros que hay que leer; la segunda, por los hay que releer. Y la tercera, por los que no hay que leer nunca que son, seguramente, la gran mayoría. Entre estos últimos se encuentran **"todos los libros de argumentación y todos aquellos en que se intenta probar algo"**(7).

Este ensayo tiene como finalidad última la de convertirse en un libro. Por eso huye de la argumentación como de la peste. Es la única posibilidad que tiene de aproximarse, siquiera a razonable distancia, a la primera de las tres categorías enunciadas por Wilde. Es decir, a la privilegiada nómina de los libros que hay que leer. Si el resultado es negativo, será porque habré desatendido tan atinados consejos.

Ni siquiera me propongo arrojar reflexiones al aire para que alguien las recoja y se ponga a cavilar sobre ellas. El mismo Wilde es muy claro en ello. Promover el pensamiento es una aberración, y no seré yo quien la cometa. Sigo en esto la recomendación del autor: **"Pensar es la cosa más malsana que hay en el mundo, y la gente muere de ello como de cualquier enfermedad.** Por fortuna, al menos en Inglaterra el pensamiento no es contagioso. Debemos a nuestra estupidez nacional el ser un pueblo físicamente magnífico... **Incluso los que son incapaces de aprender se han dedicado a la enseñanza"**(8). Esta actitud ha dejado escuela. Hoy se dice con facundia: el que sabe, sabe; el que no sabe, profesor.

PEDAGOGIA CONTUNDENTE

Esta epidemia —Alá es misericordioso— no ha llegado aún a nuestras tierras. No es, todavía, un problema para la salud pública. Pensar es una actividad insalubre y tan contagiosa como el virus más activo. Se conoce que puede deparar serias dificultades al normal desenvolvimiento de la sociedad. Por suerte, la terapéutica universal ha desarrollado, con infinitas variaciones, una solución eficaz: el "palo de amasar ideologías" de que nos hablaba Mafalda, habitante de cierta historieta que se parece demasiado a la historia.

El garrote, instrumento pedagógico por excelencia, aporta sus contundentes argumentos para desalentar a quienes quieren difundir el malsano hábito que hemos objetado anteriormente. Para que logre su noble objetivo, debe ser dirigido directamente a la cabeza, depósito de los sentimientos, asiento de las ideas, albergue del espíritu. Convenientemente ablandada con esta esforzada labor docente, la cabeza quedará habilitada para recibir influencias más benéficas. Así podrá cumplir su misión altruista al servicio de la comunidad.

En la matemática gradación de las influencias de las barajas del truco, el as de bastos —símbolo del garrote— es el segundo en importancia. Sólo cede en fuerza al as de espadas, lo cual es comprensible. Pero, como medio de persuasión, el garrote tiene un poder infinitamente superior al de la mejor campaña publicitaria de la Thompson & Williams. Ya lo explicó un descollante diputado —el doctor Vera Valenzano— hace muy poco tiempo: "**Antes ganábamos las asambleas estudiantiles a garrotazos; después ya no hubo falta**".

Como ciencia en formación, la paraguayología requerirá de la cooperación de este antiguo material pedagógico para asegurar la adhesión colectiva. Acepto que, hasta este exacto instante, la paraguayología carece de leales y ruidosos profetas que la proclamen como una insobornable verdad; hombres barbados y fanáticos que ahoguen bajo su inmenso clamor las dudas de agnósticos, herejes, linyeras, heterodoxos, escépticos, vagos, badulaques y mequetrefes; hombres poseídos de la febril devoción a tan elevada idea y que sepan emplear, con piadoso e imparcial rigor, la persuasión material.

No será la primera ciencia en emplear métodos tan seguros como éste. En el vecino Brasil alcanzó casi el papel de religión del Estado a fines del siglo XIX, cuando los militares la abrazaron masivamente. En la Unión Soviética, ciertos investigadores en Biología que transitaron por senderos ajenos a la sagrada dialéctica, lo pagaron muy caro. Como no coincidieron con la Biología oficial, cuyo archimandrita era un tal doctor Michurín, fueron condenados a recorrer al trote toda la línea ferroviaria del interminable Transiberiano, hasta la gélida Vladivostok.

EN LOS DOMINIOS DE LA SEMICIENCIA

En el mejor de los casos, tendríamos que refugiarnos bajo la sombra amigable de la semiciencia, pariente pobre de la ciencia —lo admito apresuradamente— pero pariente al fin. Este ensayo constituiría así una especie de ejercicio intelectual dentro de esa disciplina poco ortodoxa. Territorio brumoso que se encuentra en las orillas de la ciencia pero dentro del cual, desde Pitágoras en adelante, se han realizado notables contribuciones al enriquecimiento del espíritu.

Como en toda semiciencia que se respete, encontraremos aquí un poco de todo, como en las boticas de antes. La Biología se sentará al lado de la Astrología; la Rabdomancia se paseará del brazo de la Química; la Cartomancia departirá cortésmente con la Física; la Quiromancia tomará el té con las Matemáticas. Estos contubernios deberán ser aceptados no solo como inevitables, sino además como inocultablemente lógicos a la luz del género dentro del cual nos estamos moviendo.

Permaneceremos pues, dentro de los dominios de la semiciencia, una especie de ciencia de medio pelo. Acepto que aquella no goza de muchas simpatías en los cerrados círculos del intelecto. Pero la intrepidez, virtud capital de este ensayo, provee de fuerzas suficientes para hacer caso omiso de las diatribas que pudiesen brotar, inspiradas, con toda seguridad, por fines inconfesables.

La semiciencia no goza de mucha comprensión. Para Unamuno, por ejemplo, la semiciencia, "que no es sino una semignorancia, es la que ha creado el cientificismo. Los cientificistas —no hay que confundirlos con los científicos, lo repito una vez más— apenas sospechan el mar de desconocido que se extiende por todas partes en torno al islote de la ciencia, y no sospechan que a medida que ascendemos por la montaña que corona al islote, ese mar crece y se ensancha a nuestros ojos, que por cada problema resuelto surgen veinte problemas por resolver y que, en fin, como dijo brevemente Leopardi:

"... todo es igual y descubriendo
solo la nada crece" (9).

EL ESFUERZO DE ROQUE CENTURION MIRANDA

Debo hacer aun más aclaraciones. No pretendo invocar el esfuerzo realizado para cometer esta obra como su mejor justificación, vanidad o coartada de muchos autores. Se afanan también el ladrón de gallinas, el cuatrero, el "gigolo", el coimero, el vendedor de influencias, el demagogo, el estafador. Pero nadie en su sano juicio pensaría en colgarles del cuello la condecoración de la Orden Nacional del Mérito.

Acerca del esfuerzo como elemento de legitimación de una tarea, es oportuno relatar seguidamente una inolvidable anécdota que se atribuye a Roque Centurión Miranda. Para quienes no recuerden su nombre, diré simplemente que se le debe la creación de la Escuela Municipal de Arte Escénico, institución de la que salieron las figuras más conocidas del teatro paraguayo.

Escuchaba don Roque, con visible e indisimulada displicencia, los comentarios elogiosos que se hacían sobre una obra de teatro que se acababa de estrenar. Cada nuevo argumento era recibido con un silencioso gesto impugnador: un significativo meneo de cabeza. Finalmente, como suprema razón, alguien dijo que la puesta en escena merecía el aplauso porque había requerido de un considerable esfuerzo.

Centurión Miranda, impaciente, no se contuvo más. Con un guaraní sonoro y directo, que trataré de suavizar en su versión castellana, replicó con estas palabras:

—Mirá, Fulano, yo voy al retrete todos los días. Y cada vez hago allí un considerable esfuerzo. ¿Y que creés que sale de todo eso...?

SE CONFIRMA UNA SOSPECHA

Debo aclarar, tras todas las salvedades anteriores, que no es mi propósito buscar la difusión ni el tonto entusiasmo de las multitudes. Sería, desde luego, muy difícil, ya que la lectura no es, por suerte, una de las pasiones privadas más notorias de los paraguayos. Por consiguiente, si el resultado alcanza alguna efímera popularidad o es rozado por el escándalo, es porque algo habrá salido mal. Seré el primer sorprendido, ya que tengo justificadas prevenciones contra muchas de las cosas que están contenidas en estas páginas. Esa circunstancia me impondrá la penosa confirmación de una sospecha que he venido alimentando desde hace varios años: el analfabetismo seguiría ejerciendo su negra influencia en el Paraguay, a despecho de famélicos maestros y de gordas estadísticas.

Hechas todas estas aclaraciones y justificaciones, espero la benevolencia del lector hacia la paciente y religiosa compilación que tiene lugar en estas páginas. Y también con el compilador que asienta en silencio sus dubitativas reflexiones en este torturado texto. Sólo espero que la palabra "ensayo", con cuya definición comienza esta obra, desaliente al lector de buscar aquello que esta no pretende ofrecer. Solo hallará aquí intuiciones. Verdades provisorias. Sugerencias. La ciencia menos la prueba. Carencia de metodología. Rechazo de toda disciplina científica conocida. Material precario y frágil. No más. Pero que, tal vez, ambiciona sustentar construcciones más elevadas y seguras.

¿Cómo escandalizarse entonces ante estas páginas cometidas con tan dignas justificaciones y antecedentes? Lo peor que podría ocurrirles es que vayan a parar en el hospitalario y fraterno cesto de basura. O, mejor aún, en la pira expiatoria, como la que levantaron el cura y el barbero para convertir en cenizas todas las obras disparatadas que enloquecieron a Don Quijote y que lo llevaron a cometer tantas tonterías. El fuego —ya lo sabían los antiguos— tiene un decoroso sentido de purificación, a veces indispensable para expurgar el orden cósmico de pecados y tilinguerías.

NOTAS

1. **Diccionario de literatura española.** Edición dirigida por Germán Bleiberg y Julián Marías, Revista de Occidente, Madrid, 1972, pp. 293/294.
2. Unamuno, Miguel de. **Mi religión y otros ensayos breves,** Espasa Calpe Argentina, colección Austral, Buenos Aires, 1942, p. 158.
3. Papini, Giovanni. **Gog,** cuarta edición, versión al castellano y prefacio de Mario Verdaguer, editora Latino Americana, México, D.F. 1969, P. 369.
4. Eco, Umberto. **El nombre de la rosa,** quinta edición argentina, traducción de Ricardo Potchar, editorial Lumen, ediciones de La Flor, Buenos Aires, 1986, p. 111.
5. Unamuno, Miguel de. Ob. cit. pp. 112/113
6. Vargas Llosa, Mario. "La verdad sospechosa", en sección literaria de **La Nación,** Buenos Aires, 28 de mayo de 1989, p.1.
7. Wilde, Oscar. **Ensayos y diálogos,** traducción de Julio Gómez de la Serna, cedida por editorial Aguilar, Hyspamérica, Buenos Aires,1985, p. 288.
8. Id. id. p. 103
9. Unamuno, Miguel de. Ob. cit. p. 152.

II

DONDE EL DOCTOR FRANCIA BUSCA UN HUESO SIN ENCONTRARLO

¿Existe el paraguayo, categoría abstracta invocada como objeto de este ensayo? No tengo inconveniente en aceptar que tal categoría es desconocida sobre este mundo. Sólo existe dentro del territorio de este ensayo. Hablo apenas del habitante efímero de estas páginas urdidas apresuradamente. En realidad, hay muchas clases de paraguayos. Hay paraguayos del campo y de la ciudad. Hay paraguayos "gente" y paraguayos "koygua". Hay paraguayos "arrieros" y paraguayos "conchavados". Hay paraguayos "valle" y paraguayos "loma", como propone la tipología de Ramiro Domínguez. Hay paraguayos de origen europeo y paraguayos mestizos, en cuya sangre duermen antiguos genes nativos. Y también, paraguayos indígenas: Chamacoco, Mbya Apyteré, Nivakle, Toba, Sanapaná, Moro y de varias otras parcialidades. Hay paraguayos de tipos de sangre A, B, C y quién sabe de cuántos otros.

Hay paraguayos blancos, albinos, rubios, trigueños, morenos, overos y amarillos. Este último color proviene algunas veces de la ictericia. O, lo que es más común, cuando una persona nacida en algún remoto y laborioso país oriental ha sido fraternalmente munida —previo pago de una generosa cantidad de dolares, "off course"— de una irreprochable documentación. Estos papeles convierten al oriental en más paraguayo que el montonero José Gill, que el sargento "Ñandua" o que "Jacaré Valija". Esta mágica transmutación ha tenido entusiastas y destacados propulsores, uno de los cuales adquirió, no sé por qué oculto motivo, la denominación de "el hombre de los seis millones de dólares". Malevolencia de la gente, que no sabe apreciar en esta clase de acciones la pura caridad cristiana, el eco de la milenaria doctrina del maestro de Asís, el gesto solidario de los traperos de Emaús.

Por último, como es muy notorio, hay paraguayos de primera y de segunda categorías. Para distinguir a los primeros no hace falta leer un tratado de antropometría sino verificar el contenido de una credencial de forma rectangular. Sus poseedores tienen acceso al piso superior de la república. Allí se adquiere el privilegio del consumo racionado de "vaca'i" en las multitudinarias concentraciones cívicas; el derecho a lanzar al aire el "pipu" de reglamento al escucharse la polca "número 1", seguida invariablemente de la "número 2"; conchavo seguro y abuso libre en la función pública, además de otras minucias. Los segundos deben contentarse con la planta baja, recinto generalmente húmedo, expuesto a los fríos vientos antárticos y a los agobiantes soplos del Norte cuando no al incómodo y oscuro subsuelo en inacabable plática con arañas, lauchas y cucarachas.

EL "TIPO IDEAL"

Ahora bien, si existen tantas variables, ¿por qué, en nombre de qué, hablamos entonces del paraguayo? Podría despistar a los curiosos refugiándome en la metodología de Max Weber, con su interesante esquema del "tipo ideal". Esta categoría resume, en un supremo acto de abstracción teórica, los elementos más notorios de un grupo humano en una época determinada.

"Se obtiene un ideal-tipo —dice Weber— al **acentuar unilateralmente uno o varios puntos de vista y encadenar una multitud de fenómenos aislados, difusos y discretos, que se encuentran en grande o pequeño número y que se ordenan según los precedentes puntos de vista elegidos unilateralmente para formar un cuadro de pensamiento homogéneo**" (1).

Se supone que el tipo-ideal es construido por el investigador como un instrumento de trabajo. Se trata, obviamente de un acto arbitrario: el de aislar un segmento de la realidad a partir de ciertos puntos de vista, eligiendo algunos aspectos que consideramos jerárquicamente más relevantes que otros para elaborar un modelo. En él brillarán los rasgos más significativos de ese segmento elegido. Los criterios pueden ser muy variados: desde los niveles de ingreso hasta los grupos etarios, pasando por el color de los cabellos y el tipo de bebidas que prefieren para emborracharse.

¿En qué consiste realmente el "tipo ideal"? No es un modelo axiológico ni una guía para la acción. Ni debe ser identificado como el reflejo de la realidad, aunque se proponga conocerla de manera fragmentaria, seleccionando algunos aspectos que son coherentes entre sí y que nos darán la deseada imagen de conjunto. El ideal-tipo no tiene la pretensión de ser la pura esencia de la realidad, como en un sistema platónico. Por el contrario, se confiesa irreal pero para poder aprehender mejor la realidad. En este caso, el conjunto de rasgos que hemos seleccionado permite construir, con la tenacidad de un escultor, el tipo medio del paraguayo. Como en la escultura, el trabajo no consiste en dibujar una imagen en la piedra sino en extraer de ella todo lo que estorba.

EL PARAGUAYO: ¿UN HUESO DE MAS?

¿Estamos los paraguayos —como lo sugería, entre sorbo y sorbo de pausado fernet, un maligno teoreta de cafetín, ya fallecido— gloriosamente emancipados de las tenaces leyes de la sociología y de la antropología? ¿Se encuentran realmente cerradas herméticamente las puertas y las ventanas de la nación, con abuso de trancas y cerrojos, a los periódicos ventarrones de la historia?

¿Somos en verdad un inexplicable pero vigente subgénero del "homo sapiens", a medio camino entre el penúltimo troglodita y el poderoso Golem, creación ominosa de la Cábala hebrea? Cunde, desde luego, la tentadora sospecha de que podríamos constituir una colectividad con algunas características poco comunes. Estas nos distinguirían estrepitosamente de los demás pueblos que habitan el cansado "globo de la tierra y el agua".

Sería un asunto inédito para una época como la nuestra, cargada de escepticismo y de racionalismo. Epoca en la que, suponiéndose descubiertos todos los arcanos de la especie humana, etnológicamente hablando, se buscan objetos más lejanos para la pesquisa científica: las ignotas estrellas, las intimidades de los átomos, las misteriosas fuentes de la vida.

La sospecha de nuestra singularidad no es nueva. El Dictador Francia fue de los primeros en aventurar esa hipótesis. Rengger anota en su obra: "... le gusta (al dictador) que le miren a la cara cuando le hablan y que se le responda pronta y positivamente. Un día me encargó con este objeto que me asegurase, haciendo autopsia de un paraguayo, si sus compatriotas no tenían un hueso de más en el cuello, que les impedía levantar la cabeza y hablar recio" (2).

De tener esta hipótesis alguna base firme, nos hallaríamos ante un grave desafío: los paraguayos poseeríamos el carácter de "rara avis" en la monótona y prolífica especie de los bípedos implumes. Esta tesis tiene dos vertientes totalmente opuestas entre sí, que se combaten con religioso fervor. La primera postula que somos simplemente un pueblo de cretinos, infradotados a fuerza de palos recibidos con secular rutina. La segunda proclama orgullosamente que constituimos una virtuosa especie de superdotados.

Las consecuencias serán diversas según el punto de vista que se adopte en esta cuestión. Entre ellas, una que puede pasar desapercibida al observador más superficial: comprender a los paraguayos escaparía a la sapiencia de las disciplinas conocidas. Exigiría un conocimiento especializado al que sólo tendrían acceso ciertos especialistas. Pocos, pero cargados de luengos años y de abrumadora sabiduría. Grupo selecto, es cierto, pero reticente a compartir sus secretos con gente cargosa e ignorante.

UN PASEO POR LA ETERNIDAD

No faltan elementos de juicio que fortalecen la posibilidad de que, por algún impenetrable designio celeste, estemos desvinculados de las crasas limitaciones que abruman a los seres humanos comunes. Recordemos, solamente de paso, expresiones conocidas, tales como "El Paraguay eterno", el "Ser nacional" y algunos otros **eternos** que circulan, como moneda obligada, en el invariable discurso local. Estas expresiones comparten el mismo discurso, se hallan en amigable connubio, habitan una misma cosmovisión.

Al ilustrado lector no escapará que palabras como "eternidad", "ser" y otras parecidas designan categorías que no están dentro de los límites de los aburridos asuntos humanos. Se encuentran mas cómodas dentro de los elevados dominios de la metafísica, ubicados, según están contestes afamados teólogos y filósofos, entre las lejanas nubes del cielo.

La eternidad, sobre todo, reconoce más familiaridad con los negocios de la divinidad que con los de su más famosa creación. Obra ésta hecha a imagen y semejanza de su creador, según explica el sacro relato bíblico. Sólo que me permito agregar que la versión actual del Génesis habría omitido —parece que debido a la torpeza o a la piedad de ciertos copistas del siglo II— un versículo fundamental. En él se aclara de manera irrefutable que la copia no se hizo del original sino de la imagen proyectada en un espejo cóncavo. Por añadidura, este fue roto de una pedrada maleva durante la frustrada subversión de los ángeles, capitaneada por el conocido agitador y demagogo Luzbel.

Perdóneseme la digresión anterior, que no será la última. Lo que interesa aquí es que cosas como las comentadas nos inducirían a pensar que el Paraguay no sería una categoría histórica y, por tanto, instalada en el tiempo y en el espacio, sino algo más trascendente: una pura y delicada esencia flotando airosamente en el universo. Sus habitantes tendrían prendas tan singulares que quedarían apartados de las influencias y condicionamientos que fatigan a los demás pueblos de la tierra.

Es probable que esta tesis sea recibida con un unánime murmullo de escepticismo. Es que todo lo que escapa al conocimiento directo, a lo que se considera "normal" dentro de una cultura recibirá un inmediato rechazo de los sacerdotes de la medianía. Esto no es nuevo en la historia.

En la medieval universidad de La Sorbona, a los cuatro doctores más ancianos de la casa se les encargaba una grave misión: oponerse a toda novedad. Los cuatro eran llamados, seguramente por lo encumbrado de su cometido, nada menos que "señores". Todo conocimiento que pudiese excitar la curiosidad o la extrañeza era recibido por estos truhanes con un ruidoso portazo en las narices. Gente de la misma calaña acorraló a Galileo Galilei, llevó a Servert a la hoguera, arrojó a Marco Polo a un calabozo y trató de loco a Cristóbal Colón.

La existencia de extrañas razas sobre la tierra, inclasificables desde todo punto de vista, se halla plenamente avalada por testimonios concordantes. De ellos surge la convicción de que efectivamente existen algunas muy especiales: entre ellas, el friolento "yeti", del Himalaya, a quien alguien que no se habrá mirado en el espejo arrojó el infame mote de "abominable"; los gigantes que vio el cronista Pigafetta durante el viaje de Magallanes. ¿Cómo espantarse entonces ante la simple afirmación de que los paraguayos somos seres fuera de los patrones habituales de las ciencias conocidas?

LA GRIPE Y EL COQUELUCHE

No incurramos en la hierática precipitación de desautorizar de entrada esta venerable doctrina nacional. Al fin de cuentas, ha quedado constancia indubitable de la existencia de pueblos e individuos estrafalarios. Humanos, en última instancia, pero con algunos rasgos que concedían a sus razas una identidad singular e irrepetible. Los documentos y testimonios acumulados a lo largo de siglos no nos permiten dudarlo.

La descripción de estos grupos se halla dispersa en una vasta y sorprendente bibliografía en todos los idiomas de la tierra. De ella surge la convicción, que me apresuro a suscribir, de que no tenemos derecho a extrañarnos ante la postulación de razas excepcionales: comunidades de bichos raros, pero reales. Como lo son hoy en el mundo de la zoología el ornitorrinco o el facocero. O como el gruñón "tagua" de la sabana chaqueña y el celacanto de las profundidades del Indico; especies ambas que todos creían extinguidas hace milenios, pero que siguen tan campantes, como diría el "slogan" de una conocida marca de whisky.

América fue hábitat preferido por muchos de estos grupos. Así lo informaron los primeros europeos que llegaron a estas tierras y que asentaron sus maravilladas observaciones en páginas inolvidables. Ellos nos hablan, por ejemplo, de individuos con orejas tan grandes que podían acostarse sobre ellas en verano, como si fuesen el más mullido colchón; en invierno les servían de mantas, con las ventajas térmicas que son de imaginar.

Se dirá que no hay vestigio de estos pueblos en la actualidad. Pero es bien sabido que los nativos de América perecieron masivamente víctimas de enfermedades traídas por los europeos, para las cuales sus sistemas inmunológicos carecían de defensa alguna. Bien pudiera ser que plagas difundidas por cepas importadas hayan exterminado a las colectividades fuera de serie de las que estamos hablando.

"Se calcula —corrobora Darcy Ribeiro— que en el primer siglo la mortalidad fue de factor 25. Quiere decir que **donde existían 25 personas quedó una**. Estas pestes fueron la viruela, el sarampión, la malaria, la tuberculosis, la neumonía, la gripe, la paperas, el coqueluche, las caries dentales, la gonorrea, la sífilis, etcétera"(3).

MAL GALICO: CONTRIBUCION AMERICANA

Ribeiro incluye, al parecer equivocadamente, a la sífilis entre las enfermedades importadas. Parece, no obstante, que este mal fue una contribución americana a la patología médica mundial. Era lo menos que se podía hacer: pagar a los recién llegados con una moneda parecida a la que estos difundieron tan desaprensivamente por estas comarcas.

Fue así como el "mal gálico" o "mal de Nápoles" (los franceses decían que venía de Nápoles; los italianos, que venía de Francia) hizo estragos entre los conquistadores. Estos tardaron bien pronto en comprender que la imprudente promulgación de la ley del gallo iba a tener un precio muy alto. Las víctimas se sucedieron de Norte a Sur y de Este a Oeste. Una de las primeras fue el primer adelantado del Río de la Plata, don Pedro de Mendoza. La enfermedad debería ser llamada más apropiadamente "mar gállico".

El venenoso Voltaire nos sugiere el tema al hacerle decir a Pangloss, en su "Cándido", que el primer europeo en contraer esta enfermedad fue el propio Cristóbal Colon. "Si no hubiera pegado a Colón en una isla de América este mal que envenena el manantial de la generación, y que a veces estorba la misma generación, y manifiestamente se opone al principio, blanco de naturaleza, no tuviéramos ni chocolate ni cochinilla, y se ha de notar que hasta el día de hoy es peculiar de nosotros esta dolencia en este continente, no menos que la teología escolástica"(4).

Advertía Voltaire agudamente que hasta entonces el mal no había llegado a Turquía, la India, Persia, China, Siam y Japón, "pero razón hay suficiente para que lo padezcan dentro de algunos siglos"(5). No hubo que esperar tanto. No pasó mucho tiempo para que su vaticinio se cumpliese con exactitud. Las guerras y el comercio —soldadesca y marinería mediante— se encargaron de convertir al mal de Nápoles en patrimonio universal.

Lo que importa es que las enfermedades traídas por los europeos acabaron con gran parte de los nativos del Nuevo Mundo. Entre ellos, tal vez más vulnerables, a las razas "sui generis". En represalia, la sífilis diezmó a los europeos sin que pudiesen estos combatirla eficazmente con la pobre medicina de la época. Humillantes lavativas y repugnantes brebajes solo contribuían a hacer más penoso el previsible final.

ESQUIPODOS Y SIRENAS

Herodoto, el padre de la historia, anota la existencia de los misteriosos **neuros**, que se convertían en lobos por lo menos una vez por año aunque, también es cierto, por pocos días. "Es posible que esos neuros sean magos" (6) arriesga el padre de los historiadores. Son igualmente persuasivos los relatos sobre el delicado chapoteo de las **sirenas**, hermosas mujeres cuyas largas cabelleras cubrían las partes que los hombres de mar juzgaban más interesantes. Más de un atropellado pescador se habrá llevado una sorpresa mayúscula cuando, al apartar de un ardiente manotazo el tupido bosque de cabellos, encontró una cola fría y escamosa cerrando el paso a todo pensamiento deshonesto.

No olvidemos a los **cíclopes**, violentos gigantes con un único ojo, enorme como un escudo, brillando en medio de la frente. Ulises los ubica en una isla del Mediterráneo, donde pasó muy malos momentos con sus compañeros. Debemos creerle y restar relevancia a la malévola especie voceada por su intratable suegra por toda Itaca: que toda la Odisea era un puro cuento, inventado por el pícaro de Ulises para explicar diez años de jarana fuera del hogar. Con el mismo derecho deberíamos rechazar la versión de Penélope, de que se pasó tejiendo una bufanda interminable durante una década, lapso durante el cual los pretendientes se limitaron a comer las gallinas de la casa, desdeñando púdicamente los opulentos encantos de su anfitriona.

Llamaré a Cristóbal Colón a testificar a favor de Ulises. En su Diario de Navegación, nada más al llegar a América en 1492, recoge un informe de lo naturales acerca de la existencia de hombres con un solo ojo en las tierras recién descubiertas. El propio Herodoto cita a los **arimaspos**, con idéntica característica. Los lamas del Tibet, por el contrario, saben que hay individuos no con un ojo sino con tres. El tercero sirve para mirar el futuro. Es la desesperación de los oftalmólogos.

Antiguas crónicas proponen a los **esquípodos**, precursores del resorte, quienes andaban a los saltos —en esto no fueron nada originales— sobre un único pie. Este les servía además para guarecerse de la lluvia o del sol, a manera de paraguas o sombrilla, según fuese el capricho del tiempo en ese momento.

Hay constancia de los **astómatas** de Grecia, que carecían de boca y se alimentaban del aire, virtud que, debidamente actualizada, podría ser aplicada hoy para hacer frente a los agobios de la inflación y del aumento del costo de la vida. Nuevamente nos encontramos con que los astómatas no eran únicos en su género. Rabelais asegura, en su inmortal "Gargantúa y Pantagruel", que la reina Entelequia "sólo se alimentaba de ciertas categorías, abstracciones, especies, apariencias, pensamientos, signos, segundas intenciones, antítesis, metempsicosis y objeciones trascendentales"(7).

LOS ONOCENTAUROS

El ya citado Herodoto oyó hablar de hombres con pies de cabra. La mitología griega es abundante en estas hibrideces que hacen temblar de envidia a los actuales ingenieros en genética. La más famosa de estas creaciones debe ser la de los lúbricos **faunos**, que andaban por ahí tocando la flauta, empinando el codo y persiguiendo a doncellas a la orilla de los arroyos. Son no menos conocidos los **centauros** —mitad hombres y mitad caballos—, entre los que descolló el sabio Quirón, maestro de Aquiles y de Esculapio; se hizo tan famoso que Dante lo incluyó en el canto XII del Infierno. De los egipcios, mejor no hablar. Mezclaban a la especie humana hasta con pájaros y cocodrilos. Eran el colmo.

Es sin, embargo menos popular la nación de los **onocentauros**, mitad hombres y mitad asnos. Queda en quien esto escribe, y sin aclararse, una abismal duda: cuál era la porción del cuerpo ono-centáurico reservada a la rebuznante naturaleza asnal.

37

Si era la ubicada de la cintura para arriba, ello explicaría muchas cosas que originan hoy estériles y bizantinas polémicas. Entre ellas, las que tienen por objeto descifrar el extraño comportamiento de personajes instalados en las posiciones más encumbradas.

Tal vez los onocentauros hayan sido simples seres híbridos que quedaron a medio camino en la mutación hacia su forma definitiva. Según Apuleyo, en relato que podría proporcionarnos una pista, un asno asumió identidad humana luego de comerse un ramo de rosas. Quizá los onocentauros no comieron la ración suficiente y quedaron con la personalidad eternamente dividida. La parte humana se detuvo a medio camino y no pudo ser completada. Unos perfectos esquizofrénicos.

Mencionemos, finalmente, el exacto testimonio de Wells quien, en su documentada obra "La máquina del tiempo", nos ofrece una estremecedora descripción de los **morlocks**, horribles especímenes humanoides del futuro; ciegos a fuerza de vivir durante milenios en la oscuridad de malolientes y hondas cavernas."Estirpe subterránea de los proletarios"(8), los describió Borges con repugnancia, en un comentario sobre estos habitantes de futuros pero presentidos subsuelos.

NI JAUJA NI MBORELANDIA

Hasta aquí el relevamiento de estas comunidades de extraños individuos, pacientemente documentadas por los cronistas. Ellas nos rehúsan el derecho de asombrarnos ante lo que, a primera vista, parecería desafiar al conocimiento académico, siempre pagado de sí mismo y reacio a aceptar todo lo que escape a su comprensión.

Una vez despojados de nuestras anteojeras, podremos abordar el tema con más confianza en nosotros mismos. Pero antes debemos desdeñar los cantos de sirena de quienes se han instalado en la vereda de enfrente, allí donde se enarbola el dogma del rasero y el igualitarismo. En ese lugar nos encontraremos con la impugnación constante de nuestra singularidad, y con la idea de que nada nos distingue de los demás pueblos de la tierra. Ya sea repitiendo el credo positivista, el Corán del liberalismo o los sacros códices marxistas leídos en folletines para escolares, se nos propone la otra cara de la moneda: si no somos algo fuera de los cánones rutinarios de la especie humana, forzoso es concluir que nada nos distingue de ella, como insectos que somos del mismo hormiguero. No somos —para los insomnes profetas de la uniformidad— ni los habitantes del país de Jauja, donde los árboles dan chorizos en vez de frutas ni la resaca de Mborelandia, como vituperaba al Paraguay nuestro teoreta de cafetín, luego de la décima copa de fernet, bebida que nunca se regateaba.

Bastaría, según esta repudiable herejía que Dios se complacerá en desbaratar, con aplicar a la realidad paraguaya cualquiera de los libros sagrados del credo elegido por el analista para encontrar las respuestas a todas las interrogaciones. El mismo esquema funcionaría en una toldería de fieltro del desierto de Gobi y en la isla de Manhattan. En Mozambique como en Tinfunque. Sólo se tendrán que leer las páginas adecuadas y aplicar, con la paciente aplicación del copista medieval, las indicaciones precisas.

Deberemos movernos entre ambas corrientes —el fundamentalismo de la uniformidad y el fundamentalismo de la singularidad— para emprender la alocada búsqueda de la verdad, si es que esta existe en alguna parte. Francisco Delich decía que el Paraguay es "el cementerio de las teorías". Quizá no lo sea exactamente y sólo pueda definírselo como una especie de refrigerador de teorías, donde se las guarda para que luego puedan ser aplicadas a la realidad con mayor puntería. El territorio de la paraguayología nos ofrece, mientras tanto, el desconcertante atractivo de los arcanos, el misterio de lo remoto, la paradoja de ser más desconocido cuanto más cerca esté de nuestros ojos.

NOTAS

1. Weber, Max. "Estudios críticos al servicio de la lógica de las ciencias de la cultura", en **Essais sur la théorie de la science**, París, 1965, p.181.
2. Rengger, J.R. "Ensayo histórico sobre el Paraguay", en **El Doctor Francia, Rengger/Carlyle/Demersay,** El Lector, Asunción, 1982, p. 176.

3. Ribeiro, Darcy. "La nación latinoamericana", en **Nueva Sociedad,** septiembre/octubre de 1982, San José de Costa Rica, p.2.
4. Voltaire. **Cándido,** Centro Editor de América Latina, Buenos Aires, 1969, p.14.
5. Id. id.
6. Herodoto, **Los nueve libros de la historia,** t. I, Jorge Luis Borges: biblioteca personal, colección dirigida por Jorge Luis Borges con la colaboración de Maria Kodama, Hyspamérica, Buenos Aires, 1985, p. 318.
7. Rabelais. **Gargantúa y Pantagruel,** t. II, Centro Editor de América Latina, Buenos Aires, 1969, p. 215.
8. Borges, Jorge Luis. **El libro de los seres imaginarios,** Kier, Buenos Aires, 1967, p. 145.

III

DOS PAISES EN UNO

PARAGUAY DE GUA'U

No autorizo al lector a dejarse amilanar por el ominoso recuento anterior de citas y autores. Fue un pretexto para entrar en tema, una treta para despistar a los intelectuales. Lo que interesa es que, sobre tan impresionante cimiento social e histórico, podemos comenzar a buscar el perfil de la cultura paraguaya, cuya existencia acepto sin discutir. Y esto es una constatación y no la confección de un certificado de nacimiento. Esta cultura tiene particularidades que la identifican claramente. No son tan asombrosas como para que nos creamos una especie de extraterrestres, capaces de volar en bicicleta, como el bondadoso y cuellilargo personaje E.T. de la película de Steven Spielberg. Ni tampoco para que nos creamos habitantes del ombligo del mundo, como los "Pãi Tavyterã" de las selvas del Amambay, cuyo afamado "Yvypyte" es el mismísimo centro de la tierra. Pero son suficientes para que podamos adentrarnos en los dominios de la flamante paraguayología.

Hay otro corolario de la constatación anterior: la impugnación a quienes creen que los seres humanos, estén donde estén, actuarán de la misma manera, pensarán lo mismo, responderán de igual forma a los mismos estímulos y ordenarán sus sentimientos y sus creencias siguiendo un aburrido y monocorde patrón único. Es decir que, en el Polo Norte y a orillas del Paraná responderán de modo semejante y se hermanarán estadísticamente en los tests de proyección de personalidad, —a veces inexplicablemente manchados de tinta— y en los acuciosos "surveys" de opinión. Los paraguayos, de acuerdo esta corriente, serán idénticos a los beduinos y a los bosquimanos cuando sean puestos ante los mismos desafíos.

A esta altura del ensayo, el lector docto comenzará a arrugar la nariz y a fruncir el ceño. Aquí se habla ya de un montón de cosas, pero resplandece la ausencia de una definición de cultura. El acusador dedo índice se detendrá ante las páginas amontonadas y las recusará con desprecio. Por eso, con el rabo entre las piernas, contrito y apabullado, me veré obligado a complacerlo y detener su entusiasmo inquisidor antes de que caiga en la tentación de cortarme el cuello.

Pedro Henríquez Ureña decía que la cultura es "la síntesis del tesoro heredado y lo que el hombre y su comunidad contemporánea crean dentro de ese cuadro preexistente" (1). Ralph Linton se limitaría a pontificar "herencia social", con avezado espíritu anglosajón, siempre preocupado por la síntesis. Cultura es lo que el hombre agrega a la naturaleza: un zapato, un himno ceremonial, el cuadro de "La Gioconda", la batería de un automóvil, la obra completa de Beethoven y también los botones de su camisa. Cada generación recibe la herencia cultural de la anterior y le agrega alguna pizca de aporte propio. La cultura es, entonces, el resumen de muchas influencias, y no, un producto autónomo y autosuficiente, como surgido de un mágico "fiat lux" en la penumbra cósmica infinita.

Si la cultura paraguaya de veras existe, se podrán establecer diferencias y, por eso mismo, puntos de contacto con otras culturas. Será necesario después aislar algunos de sus elementos constitutivos y codificar sus normas más relevantes. De todo ello surgirá un cuadro ambicioso aunque seguramente desordenado ya que quien esto escribe no tiene otra relación con la antropología social que la lectura de un par de textos. Pero, así como en las pinturas del ácrata Núñez Soler, pintor de brocha gorda y artista plástico, en la mezcolanza no dejarán de aparecer unas que otras facetas sobresalientes.

BACTERIA Y MICROSCOPIO

Para pintar este cuadro, el método –es una manera de decir– ha sido meterme resueltamente dentro de la piel del paraguayo. Mirar el mundo con sus ojos. Pensar con sus neuronas. Sentir el viento Norte con su propia epidermis. Caminar con sus pasos. Y formular, desde dentro de su caparazón cultural, una perspectiva del universo, de la sociedad y de los hombres. No es poca cosa.

Como se advertirá inmediatamente, este método —hablar de método aquí es, desde luego, un eufemismo, pero que he decidido no omitir por comodidad de lenguaje— propone un problema

insoluble: el autor de este mamotreto es un paraguayo. Y, por
consiguiente, todo lo que estas páginas contienen cabalga sobre
una contradicción fundamental: la que existe entre el sujeto observador y el objeto observado; entre el juez y el acusado.

Están aquí los puntos de vista encontrados de quienes se
encuentran en los dos extremos de una relación: la miserable
bacteria y el biólogo que la contempla plácidamente con el microscopio; el polvoriento asteroide que recorre el cosmos y el
astrónomo desvelado que lo persigue desde un observatorio; los
dos amantes sumergidos en ardientes cabriolas, creyéndose en la
intimidad, y el ávido "voyeurista" que los escudriña a través de
una indiscreta celosía. La situación es, pues, ambivalente y, en
consecuencia, tramposa.

Es algo así como que una persona se disfrace con su propia
indumentaria. Para ocultar su rostro, se pone encima una careta
que lo reproduce con exactitud. Se argüirá que es absurdo engañar
a los demás disfrazándose de sí mismo. Pero todo el mundo se
disfraza de algo: de patriota, de leal, de sabio, de sincero, de
puntual, de místico, de pundonoroso, de corajudo, de espléndido,
de filántropo. Dentro de esta alegre comedia humana, no está de
más que alguien ensaye algo distinto: disfrazarse con su propia
cara.

EL PAIS DE "GUA U" Y EL PAIS "TEETE"

Debo proponer ahora una pregunta que resultará candorosa:
¿Dónde buscar la cultura paraguaya? Y, por consiguiente, ¿dónde
investigar sus mecanismos de funcionamiento? ¿Dónde escudriñar
sus secretas claves? Las preguntas son pertinentes porque son alimentadas por esta realidad: **no hay un solo Paraguay sino dos**,
culturalmente hablando. Coexisten dentro de la misma geografía,
como hermanos siameses, sin que uno pueda ser comprendido sin
tomar al otro en consideración.

En primer lugar, rutilante de luces y banderas, en sitio bien
visible, anunciado por tambores y trompetas, se encuentra el
Paraguay de *"gua'u"*, palabra guaraní que designa lo que es simulado, regido por la ficción, falso, trucado, mentiroso. En segundo lugar, ya en la semipenumbra, agazapado como un ladrón,

humilde como un mendigo, pero vital y vigilante, se encuentra el Paraguay **"teete"**, otra eficiente palabra guaraní empleada para nombrar a lo que es real, auténtico, genuino, prístino, puro.

Son dos países, bien distintos uno del otro. Viven sobre la misma geografía, como animales de distintas especies disputando un único cazadero. Pero ambos se encuentran en estrecha e inseparable vinculación. El uno envuelve al otro, como la cáscara a la pulpa de una fruta, como la piel a la musculatura. Son el anverso y el reverso de una sola medalla y no pueden ser comprendidos separadamente.

El Paraguay de "gua'u" es una concesión de la cortesía. Y ésta, ya se sabe, es una virtud paraguaya por excelencia, en lo cual están contestes todos los que estudiaron el asunto. En este caso, la cortesía tiene como blanco al mundo exterior. Exterior al país, se entiende. Me refiero al vasto y misterioso mundo de los "pytagua", que se extiende más allá de nuestras fronteras, hacia los cuatro puntos cardinales. Un mundo al que, desde nuestro aislamiento, siempre hemos visto como peligroso y hostil, capaz de imprevisibles comportamientos.

El Paraguay de "gua'u" es como la fachada de una casa nueva, cuyos adornos y firuletes tienen como finalidad cultivar la admiración de quienes pasan por la calle. Sólo que quienes viven dentro de la casa no pueden ver los afeites que le han puesto a su parte externa. Les está vedado. Pero pueden imaginarla, suponer sus líneas, soñar su diseño y construirla interiormente, alta y deslumbrante, erguida y limpia bajo el sol.

MARCO POLO AL REVES

El Paraguay de "gua'u" es el resultado de un sistemático proceso imaginativo, una producción de la infatigable capacidad fabuladora del hombre. Se trata de una creación parecida a la que —según la parodia que Italo Calvino hace de las crónicas de Marco Polo— realiza el comerciante veneciano para regocijo del poderoso Kublai Khan. En Calvino, el momento estelar del juego ocurre cuando el emperador mongol de la China, aceptando las reglas de la fabulación, comienza a su vez a inventar ciudades y pide a Polo que las busque en sus viajes.

El escritor Donald Barthelme nos invita a un ejercicio parecido. En un cuento corto, llamado precisamente "Paraguay", lleno de citas de pie de página, nos describe pacientemente un paisaje que no tiene nada que ver con el que conocemos como nuestro. La descripción corresponde, en realidad, al Tíbet, con sus abismos vertiginosos y sus escarpadas montañas. El Paraguay de "gua'u" es como el cuento de Barthelme: describe un paisaje, sus habitantes, su compendio de virtudes y pecados, sus ritos y sus fobias. Pero ningún paraguayo los reconocerá como propios.

El Paraguay de "gua'u" es, como dirían los cariocas con aviesa socarronería, "so para inglés ver". Solo para que lo vean los ingleses. O sea, para que lo vean los extranjeros, turistas, viajeros ocasionales, personajes recién llegados. Una guía ilustrada con mapas y direcciones de sitios de interés, con monumentos y restaurantes, con palacios y parques arbolados.

Pero si el turista toma en serio la guía y se empeña en encontrarlos, será abrumado por insalvables dificultades. Lo desconcertarán inesperados callejones sin salida, lo detendrán repentinos abismos. Lo incomodará una fuente de agua donde debía haber una plaza; una comisaría en vez de un hospital; un caserón, señalado por un inequívoco farol rojo, donde se suponía un héroe ecuestre apuntando al cielo con una espada de granito.

"PURO PETACULO"

El país instalado en la guía es tan irreal como Disneylandia, con sus dinosaurios, sus cuevas y sus fantasmas de utilería; tan imposible como el "país del nunca jamás" que frecuentaba Peter Pan y en el cual estaba a salvo del malvado pirata capitán Garfio; como el "país de las maravillas" que diseñó cariñosamente Lewis Carrol para que Alicia pudiese corretear en sus privilegiados sueños detrás de un conejo galerudo y de naipes charlatanes.

Se muestra a la gente lo que esta quiere ver. Es lo que hacen las bailarinas de parrillada que ofrecen a los parroquianos la famosa danza de la botella, en su versión grotesca, ofrecida como la quintaesencia del folklore nacional: con siete botellas equilibrándose malamente sobre la cabeza. Danza tan paraguaya como la que realizan los sioux en las temporadas de sequía para reclamar la lluvia sobre sus calcinados cultivos, o la que bailan los massai para garantizar una buena cacería. Pero al turista le gusta. ¡Qué le vamos a hacer!.

Esto es parecido a la abigarrada indumentaria que emplean en el exterior los músicos paraguayos, en sus presentaciones ante el público. Botas blancas, pantalones blancos con flecos, camisas bordadas con pájaros, cascadas, rosas y montañas. Vestimenta que tiene más familiaridad con la que usan los kalmukos y los jíbaros que con la que cubre normalmente a nuestros conciudadanos, en las calles y en los mercados.

Esto me lleva a recordar una anécdota. Un pésimo arpista aporreaba furiosamente su instrumento, en el interior humoso y triste de una parrillada. Le pregunté después el motivo del inmisericorde barullo, que no tenía ningún parentesco, ni siquiera lejano y bastardo, con la música. Su respuesta fue: "**Eto e sólo petáculo. La gente pide. Y por la plata baila el mono**". El Paraguay de "gua'u" es exactamente eso: "puro petáculo". El auditorio es la comunidad internacional de la que somos miembros y que recibe de nosotros lo que quiere ver. El paraguayo no tiene boleto de entrada en ese club pero, por las dudas, trata de congeniar con sus socios con una muestra de sana cortesía.

La bien aprendida urbanidad nos impone atiborrar al género humano con inspectores, elecciones generales, urnas y cuartos oscuros, multas, adustos magistrados, floripondios, constituciones, reglamentos, noticias en los periódicos, edictos, solemnidades, discursos en los días patrios y en las ceremonias de graduación, garantías legales, juegos florales, tambores, pabellones, leyes, sentencias, medallas y monumentos. "Only for turists".

UNA POSTA PARA REPASAR LUGARES COMUNES

Allí encontraremos el barullento desfile de los lugares comunes que fatigan el discurso local, inevitable pero sugerente, que pulula en la periferia de la cultura nacional. Agucemos el oído y dejémoslo recoger el torrente de voces y sonidos de ese código imprescindible pero omnipresente en la voluminosa guía del Paraguay de utilería.

Allí estarán el río epónimo, los límites arcifinios, la tríplice hidra, la diagonal de sangre, Asunción madre de ciudades y cuna de la libertad de América, los manes de la patria, amparo y reparo de la conquista, la muy grande y muy ilustre, los mancebos de la tierra, la provincia gigante de las Indias, el alma de la raza, el solar guaraní, el dulce idioma nativo, corazón de América, los sagrados mármoles de la patria, la tricolor bandera, los contrafuertes andinos, ni más acá ni más allá del Parapití, desde Pitiantuta hasta Charagua, único país bilingüe del continente, con la cruz y con la espada, la mansedumbre nativa, los melodiosos arpegios del arpa guaraní.

No faltarán el primer grito de la libertad americana, la amalgama hispano-guaraní, el mejor clima del mundo, el hidrodólar, tierra de polcas y guaranias, reatar el hilo de la historia, los cuatro buenos paraguayos de Itaipú, la proverbial hospitalidad guaraní, el cadete de Boquerón, el rubio centauro de Ybycuí, el viborezno de piel rugosa y encallecida pero siempre venenoso, la unidad granítica, el que no está con nosotros está contra nosotros, el legionarismo apátrida, sin pactos ni componendas, viejo roble partidario, la época de la llanura, la mocedad republicana, el malón líbero-franco-comunista de Concepción, las carpas de Clorinda, la prédica subversiva que busca dividir a la familia paraguaya, la memorable gesta rectificadora, el plebiscito armado, tierra de mitos y leyendas.

Pero si queremos conocer la cultura paraguaya, tendremos que seguir avanzando, dirigiéndonos hacia el Paraguay "teete", sólidamente instalado en la realidad. Pasemos de largo frente al país de "gua'u", con su estructura de ciudad del Oeste hollywoodense, con casas ostentosas pero cuyas fachadas son simples decorados sostenidos por tablones detrás de los cuales no hay nada. En el Paraguay de "gua'u" no nos detendremos sino el tiempo indispensable para reponer el combustible del motor del vehículo, verificar la presión en las cuatro ruedas y, si la vejiga se pone cargosa, aprovechar el lapso para buscar el matorral más cercano. En total, la parada no habrá durado más de diez minutos.

Luego tendremos que seguir viaje, porque solamente en el país "teete" encontraremos la cultura paraguaya, aquella que rige las actitudes, el pensamiento y la conducta de los paraguayos. Si queremos hacer paraguayología en serio, es allá donde encontraremos los elementos de juicio para cumplir dicho cometido. Desde luego, sólo un ingenuo o alguien con un humor desbordante, podría aproximarse a la cultura paraguaya limitándose a otear las instituciones y las solemnidades del país de "gua'u".

En cambio, sólo un inconsciente o un subversivo ignoraría al país real para reglar su conducta. Tropezaría al instante con majestuosos tabúes, rígidamente asentados en los códigos verdaderos, los que realmente funcionan. Se expondría al peligro de ser pisoteado por un tropel de enfurecidos elefantes blancos. Y es de público conocimiento que los elefantes son muy pesados, sobre todo cuando son blancos.

LA BIBLIOGRAFIA

Aquí nos encontramos con el eterno problema que quita el sueño a los investigadores de todos los tiempos: el del minucioso acopio de bibliografía, la docta relación de documentos que otorga respetabilidad a un texto y que ofrece el testimonio del despilfarro de neuronas en que ha incurrido el autor. Todo buen manual de investigación científica exige el cumplimiento de este ritual aritmético que establece una relación proporcional entre la longitud de la bibliografía y la seriedad de una investigación.

Pero el caso que nos ocupa tiene una característica principal: no existe una bibliografía suficiente, capaz de justificar las graves páginas que se agregan al final de los libros o de los capítulos, según se prefiera. Las obras que ofrecen aportes rescatables pueden contarse con los dedos de una mano o de las dos, si se siente uno animado de optimismo. Pero de ninguna manera autorizo a incluir los dedos de los pies porque sería una exageración.

En un recuento apresurado, no podrán ser omitidos libros tales como "Folklore del Paraguay" de Carvalho Neto, brasileño que, tal vez por indagar demasiado, fue despedido de de nuestro país y tuvo que editar su obra en el Ecuador; "El Valle y la loma" de Ramiro Domínguez; las contribuciones de León Cadogan y de Branka Susnik a la antropología social; ciertas intuiciones de Justo Pastor Benítez; algunas observaciones de Eligio Ayala; pocos artículos dispersos en dos o tres revistas especializadas; dos o tres monografías redactadas por científicos extranjeros; las dos constituciones de Toto Acosta, aunque lamentablemente desprovistas de las esclarecedoras concordancias y fuentes doctrinarias, y pocas obras más que, por cerril ignorancia, omito anotar.

En realidad, muchos libros consagrados aparentemente al tema son solamente alegatos históricos, políticos o ideológicos. Su objetivo central es la búsqueda o la invención de elementos de juicio que sustenten las tesis que en ellos se dicen. Son proclamas; libelos, en todo caso. Algunos brillantemente escritos, pero que no resisten el análisis del investigador desprejuiciado. Su contribución al conocimiento del Paraguay "teete" es, pues, poco significativa.

En cambio, el Paraguay de "gua'u" ostenta una paquidérmica bibliografía que haría las delicias de los eruditos. Para albergar tanto derroche de sabiduría tendría que disponerse del piadoso hospedaje de una alta torre de cemento y acero con panzudos ficheros y el incesante trajín de decenas de bibliotecarios moviéndose con destreza entre los oscuros y siniestros anaqueles.

Bastaría con evocar los pavorosos tomos que contienen los debates de la Convención Nacional Constituyente de 1967 para tener una idea aproximada de lo que puede representar, en peso y en tamaño, toda esa sapiencia. ¿Podría cualquiera de sus páginas servirnos de sextante, brújula, astrolabio, horqueta de rabdomante, bola de cristal, periscopio o radar para internarnos en el Paraguay "teete?". El lector coincidirá con mis razonables dudas.

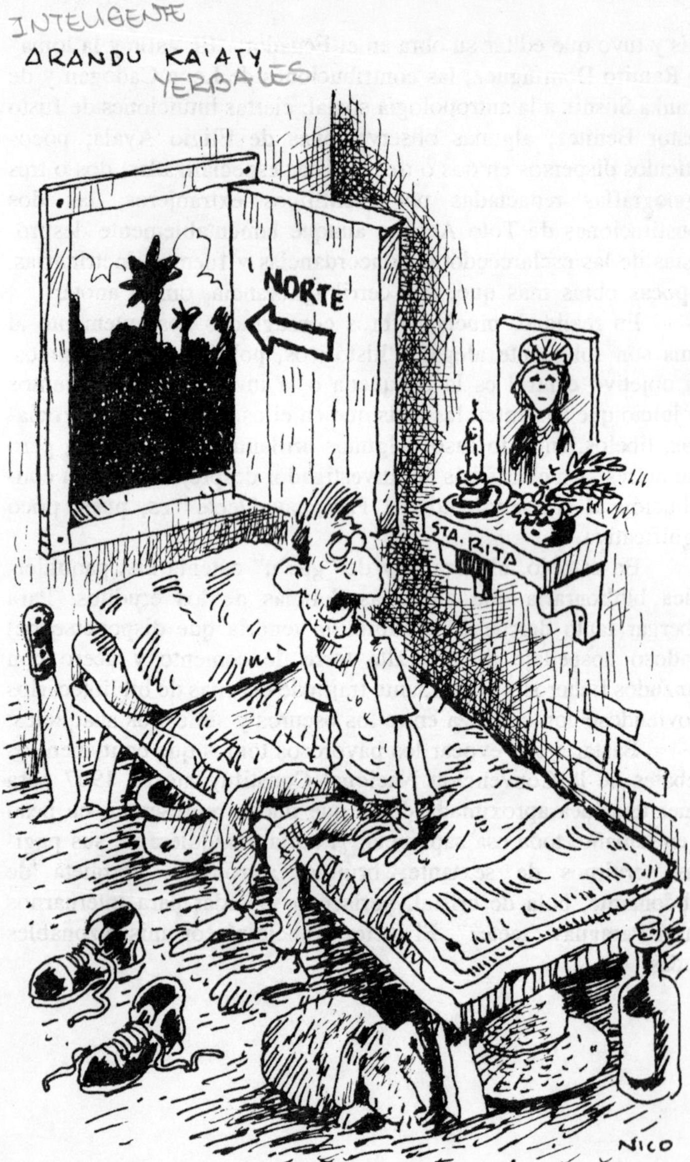
INTELIGENTE
ARANDU KA'ATY
YERBALES
NORTE
STA. RITA
NICO

IV

ABOMINACION FANATICA DE LA PALABRA ESCRITA Y REIVINDICACION DE LOS VERSITOS DEL TRUCO

ABOMINACION FANATICA DE LA PALABRA ESCRITA

NICO

¿Por dónde comenzar? ¿Qué hacer ante el páramo de la limitada bibliografía? El número de obras que pueden servirnos de punto de partida para hacer paraguayología es bien limitado. Admitiré sin retaceos que la lista que he propuesto puede estar condenada por algunas gruesas omisiones. Pero no serán muy numerosas, estoy persuadido de ello. Aun admitiéndolas en un recuento posterior más exigente, todavía los cimientos de papel de la paraguayología seguirán siendo endebles. El edificio quedaría siempre expuesto a tempestades y terremotos.

Tal vez debiéramos consolarnos con un hecho irrefutable: la palabra escrita se halla muy desprestigiada en nuestro tiempo. Tras varios siglos de indiscutido reinado —Gargantúa, en carta a su hijo Pantagruel, atribuye a inspiración divina la invención de los "modernos tipos de imprenta", en comparación con la artillería, emanada de la influencia del demonio— han brotado iconoclastas por todas partes. El descrédito se alza donde antes sólo existía admiración. Por algo Ortega y Gasset hablaba de la necesidad de "recuperar la dignidad de la palabra". De la palabra escrita, para comenzar. Y después de la hablada, que todavía es problema menor, aunque la incontenible difusión de los medios electrónicos me hace temer lo contrario.

Ya se sabe que con la palabra escrita y, en consecuencia, con los libros se puede decir, demostrar y hacer cualquier cosa. Con todo el respeto que merece Napoleón Bonaparte, éstos tienen hasta una ventaja final sobre las bayonetas: es posible sentarse encima y hasta acostarse sobre ellos, según la necesidad. Sirven para todo. Aun para un barrido y un fregado, literalmente hablando. Hasta —quién lo creería— se puede decir la verdad a través de ellos. No hay, pues, motivo para que nos dejemos guiar ciegamente por lo que dicen ni para sentirnos amargados por la carencia de la venerada sustentación libresca.

Para que el cuadro sea aún más completo, debemos contabilizar los efectos funestos que provienen de las campañas de alfabetización. Como no dejó de notarlo el escritor Emilio Pérez Chaves, estas campañas han caído en una trágica perversión: muchos han quedado persuadidos de que la sociedad requería no sólo de personas capaces de leer sino también de escribir. A estas campañas debemos —se alarma justificadamente Pérez Chaves— la inundación de escritores que padece el Paraguay.

Por otra parte, se sabe que los libros muerden. Lo confirma una augusta tradición nacional. No sólo muerden. También arañan, propinan codazos y puntapiés, aplican llaves de judo y de jiujitsu. Por suerte, con su notorio olfato, los paraguayos han hecho muy poco caso de la palabra escrita y de quienes la cultivan. Los poetas y novelistas más importantes han escrito y publicado en el exterior. Algunos —los menos— lo hicieron por razones económicas. Otros —los más—, por razones obvias.

LOS MALOS EJEMPLOS

Las educación formal, en general, tuvo siempre una atención escuálida en todas las épocas. Durante la colonia, la Corona española se cuidó muy bien de rechazar toda petición de instalar una universidad en el Paraguay. Es que los monarcas sabían lo que hacían. No iban a dejar que sus amados súbditos fuesen víctimas de los aires malsanos que suelen desatar estas instituciones. Ya durante la independencia, el Dictador Francia limitó la educación al nivel primario. No hacía falta más. Suprimió el único centro de estudios superiores que, en realidad, era una fábrica de teoretas ociosos. Los presos políticos del Dictador, persuadidos de esta misma doctrina, convirtieron en barajas las hojas de los libros para matar el tiempo dentro de sus celdas. Con toda seguridad, fue el mejor destino que se les pudo dar.

Los escritores en particular y los intelectuales, en general, no tuvieron mucha suerte, según puede colegirse de una rápida lectura de nuestra historia. Realicemos un repaso aleccionador. De Facundo Machaín, formado en la Argentina, abogado y joven, se decía que era uno de los mejores talentos de su época. Electo presidente de la República por la Convención Constituyente de 1870, fue derrocado antes de cumplirse 24 horas de su designación. No hubo en la historia otro mandatario que más fugazmente se hubiese ceñido la banda presidencial. En cambio, la mediocridad parece ser garantía de una larga permanencia en el poder.

Machaín acabó mal. En 1877, durante un motín de presos políticos en la cárcel pública, fue asesinado alevosamente. Dicen que trató de salvar el pellejo quedándose en la celda, en paños menores, mientras se desarrollaba el motín. Craso error. Cuando la intentona fue sofocada, el primer sitio al que se dirigieron los encargados de la represión fue su celda, al grito de "¡jaha doctor Machaímpe!" (¡Vamos al doctor Machaín!). Este, abogado al fin, trató de detenerlos con argumentos, pero estos fueron contraproducentes. Les dijo que todavía podría ser muy útil a la patria. Le fue peor. Ahí nomás le acribillaron a balazos y le cosieron a puñaladas.

José Segundo Decoud, una de las figuras civiles más descollantes de la postguerra del 70, terminó sus días suicidándose con un matarratas: "Verde de París". Se sintió frustrado, inútil y abandonado por sus amigos. Había sido varias veces ministro y figura principal en sucesivos gobiernos. Al final de su carrera, era tan pobre como en sus comienzos, ejemplo que los hombres públicos de su posteridad no dejaron de contemplar con horror. Tan seriamente tomaron el hecho que todo indica que se juramentaron solemnemente no imitarlo. En lo de la pobreza, se entiende.

Concluyó, con la desaparición de Decoud, una vida consagrada al servicio de los mejores intereses nacionales.

Pocos años después, la escena fue ocupada por Eligio Ayala, adversario político de Decoud. Poseedor de una gran cultura — había completado su formación en Europa— tenía, sin embargo, un humor tan pequeño como su estatura; a la menor provocación, echaba mano a su pistola. Mientras se encontraba en Suiza, escribió un venenoso libelo intitulado "Migraciones", en el que desnudó muchos de los males de la vida social y política del Paraguay de su tiempo. Dejó también allí constancia de cuán poco importaba el mérito intelectual en aquella época convulsionada.

Ayala, un intelectual nato, guardó celosamente el borrador, ocultándolo a la vista de sus conciudadanos. Sólo años después de su muerte, sus amigos entregaron a la imprenta –en 1941– las hojas garrapateadas secretamente por el intratable don Eligio. Es explicable. Si su ensayo hubiese visto la luz mientras él vivía, no hubiera llegado, como llegó, a la presidencia de la República. Murió en un oscuro episodio, en casa de su amante, tiroteándose con un rival. Su permanencia en Europa no le transfirió la tolerancia a la infidelidad que, según se cree, suele ser propia de las sociedades más civilizadas.

Otros intelectuales que incursionaron en la vida pública tuvieron menos suerte. En general, debieron renunciar antes de concluir los períodos constitucionales para los cuales fueron electos. Es lo que le ocurrió dos veces a Manuel Gondra, acaso el paraguayo más ilustrado de su tiempo, dando lugar al conocido dicho popular "taguapy sapy'aitemi Góndraicha" (me voy a sentar un ratito, a lo Gondra).

CON EL VERSO Y LA MUSICA A OTRA PARTE

Si esto le ocurrió a Gondra, liberal, en un partido de tradición civilista, es de imaginarse lo que pudo haberle pasado a Natalicio González, colorado, en uno de más firmes raíces militares. González, ideólogo de su partido, agudo ensayista y literato, tuvo suerte parecida a la de su contendor: el rápido desalojo de la silla presidencial. Ambos, liberal uno y colorado el otro, renunciaron bajo la persuasiva presión de los fusiles y con general complacencia; o aunque sea con la complacencia de los generales. O de los coroneles, que da lo mismo desde el punto de vista práctico.

En literatura pueden citarse casos menos violentos pero igualmente significativos. Eloy Fariña Núñez, el célebre autor del "Canto secular", escribió lo mejor de su obra en la Argentina. De Fariña Núñez dijo un crítico este suficiente panegírico: "El poeta de reconocimiento unánime en nuestra literatura... una de las vidas paraguayas más intensas, reflexivas y de más elevado valor moral"(1).

Treinta años después, otro poeta pasó por experiencia parecida, luego de huir de su patria a pata de buen caballo. Se llamó Herib Campos Cervera y debió publicar su "Ceniza redimida" en Buenos Aires. De su obra dijo otro crítico que fue "un acontecimiento capital en la historia de la poesía paraguaya moderna..."(2). Murió en Buenos Aires en 1953, dicen que de la mordedura de un gato rabioso, y "su muerte privó al Paraguay de sus grandes voces poéticas y de una personalidad fundamental en el desarrollo de la cultura moderna del país"(3).

Augusto Roa Bastos, el principal novelista paraguayo, escribió todas sus obras en el exterior. Cuando quiso volver, no pasaron sino pocos días para que fuese puesto en la vecina Clorinda sin más trámites. Benigno Casaccia Bibolini hizo lo mismo. Los dos creadores musicales más importantes —José Asunción Flores y Herminio Giménez— pasaron por parecida experiencia, y no son los únicos en el género. El primero falleció en la Argentina. Ni siquiera sus cenizas pudieron volver al Paraguay. Orden superior.

Agustín Barrios fue uno de los principales creadores de música para guitarra del mundo. Murió en San Salvador. En el Paraguay, para hablar con propiedad, nadie le había dado pelota. En América Central y el Caribe se codeaba con presidentes y magnates. Si hubiese permanecido en su patria, su destino habría sido el que preside a los guitarristas de parrillada: paupérrimo. Teodoro S. Mongelós, uno de los poetas más importantes en guaraní, corrió igual suerte. Vivió exiliado en el Brasil, dicen que llevando consigo una bolsita que contenía tierra de Asunción. Murió en el exilio, sin que hayan servido sus versos para conmover a nadie. Tampoco se permitió el retorno de sus restos.

LOS PELIGROSOS "LETRADOS"

Los ejemplos pueden multiplicarse para apuntalar la misma cosa: los paraguayos no son profetas en su tierra. Tal vez en el fondo de todo esto haya una gran desconfianza hacia el hombre de letras —chicas o grandes— en el subconsciente colectivo. De allí vendría la cazurra expresión **libro guasú ha letra sa'i** (libro grande pero de letras chicas) que se aplica a todo aquel que tenga sospechosa fama de intelectual. Hay más. La palabra "letrado", que en español quiere decir "docto, instruido", tiene en el castellano paraguayo otra aplicación: pícaro, taimado. Situación bastante parecida a la que aplica el mote de **iformal ko típo** (éste es un individuo de cuidado) para calificar a un hombre peligroso, de quien debe desconfiarse.

Penetrada de esa tradición, la Policía incluye siempre el comiso de los libros cuando realiza algún allanamiento. Allí van, "para averiguaciones", todos estos objetos mágicos, deparadores del mal de ojo. La Policía sabe que los libros, leídos con imprudencia, pueden distorsionar severamente la visión normal del mundo y de la vida. Por eso despoja definitivamente de ellos a quienes son detenidos, librándolos de tan maléficas influencias.

Por eso mismo, tal vez, es siempre motivo de elogio la sabiduría popular, sintetizada en la conocida expresión **arandu ka'aty** (sabiduría selvícola). Es la sabiduría del indio, maestro de la supervivencia en un medio hostil, compendio de sagacidad, dueño del fino olfato del jaguar y de la vista larga del "karakara". Quien la posee es blanco de elogios y envidias; se lo supone una especie de taumaturgo, capaz de manejarse con pericia en medio de las mayores dificultades.

Algún avezado lingüista me dirá, con el ceño fruncido, que la connotación local de la palabra no se vincula con la que tiene en el Diccionario de la Academia. No lo creo. Estoy seguro de que todos conocen (o sospechan) su verdadero significado. El letrado, vinculado a la ley —o sea, a una entelequia—, suele ser hombre avezado en trapacerías sin cuento. ¿Por qué no extender este significado visible a todos los pícaros de la tierra?

Esta misma sorda inquina podemos rastrearla hasta en la poesía popular. Por ejemplo, Emiliano R. Fernández, la voz más encumbrada del género, descarga un violento "arandu tavy" (sabio imbécil) para fustigar a los intelectuales que se coaligaban para conspirar contra el poder público. Empleó el descalificante rótulo en un poema dedicado, por cierto, a cantar loas a quienes tenían, en ese momento, la sartén por el mango.

NO HACEN FALTA LOS LIBROS

La desconfianza hacia las letras no es —no es necesario recordarlo— un invento paraguayo. En otros países tenemos sobrados ejemplos de cómo el conocimiento merece la inquina de encumbrados personajes. Todos ellos coinciden en que los libros no son los adoquines sobre los cuales se puede caminar para llegar al palacio de la sabiduría. Suponen, tal vez con razón, que provocan el extravío de la mente, el desasosiego de los espíritus, el desatino de los hombres. Esta creencia está suficientemente documentada en la historia como para que nos creamos obligados a añadir excesivas probanzas.

La primera destrucción masiva de libros que se recuerda ocurrió en Alejandría, en el año 646 de nuestra era. La justificación fue inobjetable: "No hacen falta libros que no sean el Libro". Es decir, el Corán. La orden fue dada por el califa Omar, quien se había opuesto piadosamente a que los musulmanes escribiesen nada. Era muy lógico: ya estaba todo escrito. Me falta una explicación que hará más verosímil este relato. Omar era un musulmán recién convertido y su fanatismo sobrepujaba de lejos al de los antiguos devotos. Bien sabemos hoy lo peligroso que es el fanatismo del converso.

Al producirse la conquista de América, los sacerdotes quemaron prolijamente todos los libros de las civilizaciones maya, azteca e inca. Al fuego fueron entregados, acompañados de copiosas bendiciones para aniquilar al demonio que se guarecía en ellos. Un cronista, desconcertado, anotó que los mayas lloraban desconsoladamente al ver que el fuego convertía en cenizas la memoria colectiva de su pueblo. Sorpresa de un sacerdote español. Mire que lloran los infieles. Habían resultado ser unos flojos. En lugar de sentirse agradecidos.

El libro occidental es también un material desdeñable y vil. "Criatura frágil —confirma Umberto Eco—, se desgasta con el tiempo, teme a los roedores, resiste mal a la intemperie y sufre cuando cae en manos inexpertas"(4). No puede ser, por razones que saltan a la vista, el objeto de la torpe idolatría humana. Ni mucho menos la fuente indubitable y única del saber. Por algo el peronismo cerril de los años del segundo Gobierno de su líder acuñó la célebre frase: "¡Alpargatas sí, libros no!".

El gordinflón Hermann Goering, prohombre del Tercer Reich, había barbotado, con admirable síntesis teutónica, este exabrupto kantiano: "Cuando escucho la palabra cultura, hecho mano a mi pistola". Y Millán de Astray, en incidente que pasó a la historia, interrumpió una conferencia de don Miguel de Unamuno en la universidad de Salamanca al grito de "¡Muera la inteligencia, viva la muerte!", mientras manoteaba su pistola. Unamuno debió interrumpir sus palabras y abandonar el local, no sin antes proferir algunas despreciativas observaciones sobre lo que había escuchado, concluyendo: "¡Venceréis pero no convenceréis!". Era la guerra civil española. Unamuno murió poco después. El franquismo venció, pero no se preocupó mucho de convencer a nadie; el que no estuvo de acuerdo fue fusilado.

Recordemos a Borges —el cegatón Jorge de Burgos que custodia la biblioteca del monasterio medieval en el que transcurre la acción de "El nombre de la rosa" de Eco—, quien vivió siempre rodeado de libros, hasta el extremo de que su única visión del mundo le vino a través de las páginas impresas. Citémoslo, porque un ensayo en el que no se cite a Borges acusará de inmediato la indeseable impronta de la ignorancia: "Afirman los impíos que el disparate es normal en la biblioteca y que lo razonable (y aun la humilde y pura coherencia) es casi una milagrosa excepción. Hablan (lo sé) de la biblioteca febril, cuyos azarosos volúmenes corren el incesante albur de cambiarse en otros y que todo lo afirman, lo niegan y lo confunden como una divinidad que delira"(5).

LA SABIDURIA Y LA CONFIANZA

Con tan respetables antecedentes, no es de extrañar que el paraguayo mantenga una saludable dosis de reticencia ante la sabiduría libresca y los "letrados" que la producen. Desconfianza que no es odio ni revanchismo y que tiene un cierto olor de precaución, de cautela, de mesura, para evitar las trampas que dejan las letras, con su inagotable capacidad de producir extraños desvaríos en la mente. Por algo Cervantes, con inocultada pena, comentaba de su creación —Don Quijote— que "del mucho leer y del poco dormir se le secó el cerebro".

Al acopio de citas y anécdotas debo agregar una contribución genuinamente paraguaya, que puede engrosar esta universal corriente tan finamente representada por Goering y Millán de Astray. Con menos poesía y más brutalidad, el aporte paraguayo no deja de ofrecer aristas admirables por su contenido de picardía criolla. El testimonio puede ser resumido en pocas palabras. Se discutía animadamente en un alto conciliábulo castrense el eventual pase a retiro de un oficial de reconocidos méritos: una especie de genio uniformado. Hubo quien trató de evitar que le bajasen el hacha con el argumento de que se trataba de un hombre con demasiada formación como para que pudiese ser puesto de patitas en la calle como cualquier hijo de vecino. Uno de los que tenían que decidir inclinó decididamente la balanza en favor del despido con estas insuperables palabras:

—"Ore noroikotevẽi arandu. Roikotevẽ confianza. Aǧa roikotevẽ ha'ára arandu, rohenóine". (Nosotros no necesitamos de sabios; necesitamos gente de confianza. Cuando necesitemos de sabios, los llamaremos).

Magistral retórica, digna de un Demóstenes y de un Cicerón. Supongo que será innecesario agregar que el oficial concluyó abruptamente su carrera y fue a la calle. Quien selló su suerte tuvo una larga y venturosa vigencia en la institución, coronada por la sólida y perdurable prosperidad que suele ser el merecido premio de quienes se desvelan por la patria.

EL MATERIAL DE INVESTIGACION

Para hacer paraguayología, ya lo hemos visto, no harán falta sino pocos y justificados libros. No es de lamentar la vasta ausencia del papelerío, por todo lo que hemos explicado anteriormente. Por este tratado debe muy poco al papel y sí a otras fuentes que parecen más convincentes.

¿Cuáles serán esos materiales que harán prescindibles los libros, ese gris fetiche de los intelectuales? Muchos. Veamos algunos: los lugares comunes; los "marcantes" (apodos); la interminable cantera de los ñe'enga" (aforismos populares); los desafiantes versitos y frases rituales del truco; las "relaciones" del pericón; los "compuestos"; la canción popular; la tradición oral; las glosas que los "cantores" de lotería dedican a los números que van saliendo del bolillero; las entrelíneas de la información periodística; la conducta cotidiana de la gente; el paralenguaje que se agazapa siempre en la trastienda de palabras y gestos, de actos y silencios; el mucho palabrerío que, aunque no denota nada, connota mucho.

En todo este material hay suficientes rastros de la paraguayidad. Las pistas comienzan a aparecer por todas partes y no hace falta ser un Sherlock Holmes para seguirlas con la paciencia de un sabueso. Estas pistas nos conducen de lleno a los dominios de la "raza", como solemos autodesignarnos, aunque la palabra no deja de tener cierto retintín que el investigador no dejará pasar por alto. La connotación peyorativa puede ser tan notoria que un periódico de Asunción comenzó a publicar hace un poco un "Diccionario (sic) de la raza", ubicándolo —¿en qué otro lugar podría estar mejor?—en su página humorística.

Agreguemos los desaparecidos "Monólogos" de José Luis Appleyard, el "purahéi jahe'o"(canto-lamentación); los insultantes "graffiti" de baños y muros; el airado regateo de las "mercaderas" del mercado de Pettirossi; los juegos y sus normas. En esta rica cantera se encontrará mucho más sobre la paraguayidad que en la babélica biblioteca del Paraguay de "gua'u" que mencionábamos con menguante veneración.

ARANDU KA'ATY

Es en el mundo del "arandu ka'aty" (sabiduría selvícola) donde se encuentran todas estas pistas, de las cuales podremos extraer los elementos medulares de la cosmovisión del paraguayo. La sabiduría popular no cuenta —lo sabemos— con entusiastas adeptos. Los lectores de catecismos tronarán airadamente contra este tímido intento de escudriñar su bullente y contradictorio interior. No faltará quien me eche encima la inevitable cita de Gramsci, extraída del texto en el que este menoscabó a la sabiduría popular.

"**La filosofía del sentido común** -nos dice el pensador-, la filosofía de los no filósofos, es decir, la concepción del mundo absorbida acríticamente por los diversos ambientes sociales y culturales en que se desarrolla la individualidad moral del hombre medio. El sentido común no es una concepción única, idéntica en el tiempo y en el espacio, es el '**folklore' de la filosofía** y, al igual que ésta, se presenta en innumerables formas. Su rasgo fundamental y más característico es el de ser una **concepción** (incluso en cada cerebro individual), **disgregada, incoherente, inconsecuente,** conforme a la posición social de las multitudes de las que constituye la filosofía" (6).

Luego de una cita tan coqueta como la anterior, uno debería quedar abrumado, sin atreverse a insistir. Pero la intrepidez nacional, que no se deja apabullar ante los relumbrones del conocimiento, obliga a persistir con la irresponsabilidad de la ignorancia. Mientras los propietarios de la sabiduría siguen acopiando citas, me permitirán insistir en aferrarme a la sabiduría selvícola. Y, con el perdón del Sanedrín y de los libros sagrados, seguiré durmiendo con la cabeza orientada hacia el Norte; invocaré a Santa Rita, como la mejor "abogada" para acometer empresas imposibles; dejaré invariablemente abierta toda puerta por la que pase; consideraré la micción como un acto social y no como el cumplimiento de una necesidad fisiológica individual; confiaré en que el destino ya tiene señalado el itinerario de cada uno sobre la tierra.

NOTAS

1. Pérez Maricevich, Francisco. En prólogo a **Obra poética, de Eloy Fariña Núñez,** edición de Francisco Pérez Maricevich, editorial Alcándara, Asunción, 1982, p. 7.
2. Fernández, Miguel Angel. Prólogo a **Ceniza Redimida,** de Herib Campos Cervera, 2a. edición, Asunción, 1982, p. 11.
3. Id. p.10.
4. Eco, Umberto. **El nombre de la rosa,** quinta edición argentina, traducción de Ricardo Pochtar, editorial Lumen, ediciones de la Flor, Buenos Aires, 1986, p. 50.
5. Borges, Jorge Luis. "La biblioteca de Babel", en **Ficciones,** décimo segunda edición, Emece Editores S.A. Buenos Aires, 1970, p. 93.
6. Gramsci, Antonio. **La política y el estado moderno,** Planeta Agostini, traducción de Jordi-Sol Tura, Barcelona, 1985, p. 9.

V

CON LA AYUDA DE DOÑA PETRONA SE REALIZA UNA DECIDIDA INCURSION EN EL TERRENO DE LA GASTRONOMIA FOLCLORICA

Todos los años, el 12 de octubre, se repite en el Paraguay una ceremonia dedicada al Día de la Raza. Hay actos en las escuelas, cantos alusivos, ramos de flores, banderas y discursos. No suele faltar el embajador de España. El arduo despilfarro de emociones tiene como populoso objeto a la "raza americana": ¿Qué raza? Un antropólogo quedaría perplejo al recibir semejante pregunta de sopetón. Porque lo más difícil para él sería referirse al 12 de octubre como punto de partida de la aparición de una nueva raza sobre la tierra.

Las razas —si podemos referirnos así a los grupos humanos que poblaban el continente antes de la llegada de los europeos— eran muy distintas unas de otras. Tenían culturas diferentes, hablaban distintos idiomas. Sus rasgos físicos no tenían mucho en común salvo los que se repiten fatigosamente en la especie humana: dos ojos, una nariz, cabellos, cejas, dos extremidades superiores y dos inferiores, etcétera. Pero, por lo demás, no se ve qué argumento podría encontrarse para sostener que el Quechua peruano, el Guayakí del Alto Paraná, el Apache del Sur de los Estados Unidos, el Ona del extremo continental o el Mbayá-Guaikurú del río Apa eran, técnicamente hablando, razas.

Lo que hoy es el Paraguay estaba poblado en la época precolombina por "razas" —si así podemos llamarlas— muy distintas, empeñadas en rabiosas guerras de mutuo aniquilamiento. En toda América los europeos aprovecharon esta implacable división para exterminarlas a todas prolijamente, arrojando a unas contra otras y forjando alianzas de fugaz duración. Los ingleses, sobre todo, exhibieron cualidades ejemplares en este esfuerzo. Tuvieron que pasar siglos para que Hitler pudiese realizar una labor masiva de parecida prolijidad.

Aun hoy, subsisten en el Paraguay nada menos que 17 parcialidades que se subdividen en cinco troncos lingüísticos absolutamente distintos unos de otros. Un Mbya-Apytere de Caaguazú tiene tanto en común con un Maká chaqueño como podría tenerlo un árabe del desierto con un esquimal que se congela dentro de su iglú. En cuanto a los guaraníes, mayoritarios en la región Oriental, sólo estaban unidos por la lengua y por algunos rasgos culturales. Pero étnicamente no respondían muy exactamente a un patrón único.

LA RAZA GUARANI

Bartomeu Meliá no vacila en decir: "Dado el proceso histórico-social del Paraguay, y en el que se ha dado la fusión de diversos elementos étnicos —sobre todo europeos—, el concepto de raza carece absolutamente de significación. **No es de ninguna manera la llamada raza guaraní un elemento definidor del ser nacional**"(1).

¿Quiénes eran los guaraníes? Se ha escrito tanto sobre ellos que una sola palabra más sería un abuso. Parece que no constituian propiamente una raza sino más bien un vasto tronco lingüístico. El guaraní era como el antiguo latín: permitía entenderse entre sí a un conglomerado de pueblos que habitaba buena parte del litoral Atlántico, desde el Amazonas hasta el río Uruguay, penetrando como una flecha hasta el centro del continente. El Paraguay era, tal vez, la punta de la flecha.

Delante se encontraba el Chaco, con sus tribus nómadas, enemigas ancestrales y cuya ferocidad infundía un justificado pavor. Más al fondo se hallaba el imperio incaico, cuyas fronteras orientales fueron saqueadas más de una vez por algunas avanzadas guaraníes que lograron atravesar la llanura chaqueña. Allí quedaron los descendientes de los invasores, los actuales chiriguanos. De todos modos, la relación con los chaqueños fue siempre belicosa, con resultados generalmente adversos a los guaraníes. Cabeza de Vaca apuntó este sentimiento con asombradas palabras:

"Los indios guaraníes que consigo traía el gobernador [él mismo] **se morían de miedo de ellos y nunca pudo acabar con ellos que acometiesen a los enemigos** (...) estaban cantando [los guaikurúes] y llamando a todas las naciones, diciendo que viniesen a ellos, porque ellos eran pocos y más valientes que todas las otras naciones de la tierra"(2). Los guaraníes, neolíticos al fin, eran más numerosos; compensaban en cantidad lo que seguramente les faltaba en bravura. La mandioca y el maíz permitían asegurar el sustento a una población demográficamente más numerosa que la de los cazadores-recolectores chaqueños.

Los chaqueños eran gente de enorme estatura, a veces morenos; algunos grupos acostumbraban pintarse el cuerpo. Eran, en general, singularmente feroces. No sería una experiencia risueña encontrarse con un grupo de ellos, en tren de guerra, en un descampado. Hasta hoy podemos apreciar su envergadura y sus facciones inamistosas, talladas a hachazos en el rostro oscuro, en los Maká que venden chucherías en el centro de Asunción. Los Guaikurú, es cierto, pertenecían a otra nación, distinta de la de los Maká, racial, cultural y lingüísticamente hablando. Pero parece que no les iban en zaga en altura, lo que debió impresionar a los pequeños y retacones guaraníes. Poseían, además, una destreza intranquilizadora: de un solo golpe de quijada de piraña, a guisa de navaja, sabían degollar, como quien corta un queso, a los pequeños guaraníes. "Les quitan la cabeza y se llevan en la mano asida por los cabellos"(3), comenta Cabeza de Vaca entre admirado y horrorizado.

Estos pámpidos entendieron pronto que el caballo era una de las ventajas más visibles que tenían los españoles para la guerra. Lo adoptaron muy pronto, y extendieron su influencia hasta el extremo de tener en jaque, ya no sólo a los guaraníes, sino también a toda la colonia española. Los malones Guaikurú detuvieron bastante tiempo la ocupación del Norte y, peor aún, llevaron el terror hasta bien dentro de la región de los asentamientos hispánicos con epicentro en Asunción.

EL ACICALAMIENTO NATIVO

Para hablar de los guaraníes es preciso separar la realidad del delirio. Los jesuítas urdieron una versión oficial, con fines proselitistas, que todavía se repite hoy como el non plus ultra de la sabiduría. Los libros de lectura escolar concedieron devota hospitalidad a esta larga novela. Nuestros personajes son presentados como monoteístas, y como creyentes en el cielo y en el infierno y en el alma inmortal. Los acicalaron de tal modo, que lograron afianzar una imagen completamente distorsionada de su cultura, maquillándola sabiamente para una triunfal presentación en sociedad.

Dos siglos después, desde otra vertiente filosófica, Moisés Bertoni, sabio suizo radicado en el Paraguay, fue aún más lejos y se ocupó de cantar epinicios a los antiguos guaraníes, asegurándonos que fueron creadores de toda una civilización. Les adjudicó populosas ciudades que habrían quedado escondidas en la selva, una escritura lapidaria, un sistema democrático, una confederación y hasta cierta conexión remota con la Atlántida, el misterioso continente perdido.

Vió tan perfectos a los guaraníes que no vaciló en absolverlos del cargo de antropofagia que les endilgaron los europeos de la época de la conquista. Bertoni niega que el "prisionero a la brochette" haya pertenecido al menú de los guaraníes. Y lo endilga, a renglón seguido, a la gastronomía de los "karaive" (caribes), unos primos lejanos, pero de un pelaje inferior. Los parientes, es sabido, no se eligen.

No le interesó mucho el testimonio de Cabeza de Vaca, quien proporciona una breve relación de la dieta de los guaraníes: "Son labradores, que siembran dos veces al año maíz, y asimismo siembran cazabi [mandioca], crían gallinas a la manera de nuestra España, y patos; tienen en sus casas muchos papagayos, y tienen ocupada muy gran tierra, y todo es una lengua, [tienen un solo idioma], **los cuales comen carne humana, así de indios sus enemigos, con quien tienen guerra, como de cristianos, y aun ellos mismos se comen unos a otros**"(4).

LA ARISTOCRACIA "AVA"

Bertoni afirma que "entre todos los pueblos guaraníes había uno que, como he dicho, constituía el núcleo de ese grupo étnico [los guaranies] y que pudiera considerarse como la aristocracia entre los diversos pueblos guaranianos. Este grupo lo constituían los pueblos que habitaban el Norte y el Centro del Paraguay, partes del centro y el Sur del Mato Grosso, parte de la cuenca del Amazonas y varias partes de la costa del Atlántico y del Brasil. Estaba formado, sobre todo, por los chiripa, en cuyo nombre envuelvo a las tribus que habitaban el Guairá, en la época de la conquista y durante la dominación de los jesuítas; los **itatines** que habitaban el Sur del Mato Grosso, una parte del Norte del Paraguay y que fueron traídos por los jesuítas a las Misiones del Sur del Paraguay, donde en varias ocasiones han penetrado; los **tobatines y tarumaes** que habitaban la parte central del Paraguay; varios pueblos de la costa y partes centrales del Brasil; los **omoguas**, la nación más importante de la región del Amazonas... y los **guananíes o guaraníes**, que habitaban el bajo Amazonas, de los cuales me ocuparé más adelante al hablar de la civilización de los guaraníes, porque, según prueba evidente, **la civilización que poseían era la que más alto grado rayaba**"(5).

Bertoni, anarquista al fin, se entusiasma y les atribuye un sistema social, político y económico. "La constitución política de los guaraníes es la democracia pura. El gobierno era popular... **El guaraní es comunista y comunista hasta el punto extremo...** El comunismo no solamente preexistió en las tribus que hayan pertenecido a las Misiones sino que era general en todos los guaranianos y, con pocas excepciones, en tiempos más o menos antiguos, general en todos los pueblos del tronco mongólico, cuando menos entre los americanos... Solamente los guaraníes han sabido hacer de esta bella teoría una realidad. Lo que fue y aun es una utopía entre los pueblos muy civilizados, pero desgraciadamente impregnados de egoísmo personal, ha llegado a ser un hecho entre los pueblos más modestos, gracias a dos grandes virtudes: **el sentimiento altruístico y la dignidad personal**"(6).

LA COSECHA DE MUJERES

Cuando llegaron los europeos a nuestro actual territorio, comenzaron a mezclarse activamente con el primer pueblo con el que entraron en contacto: los "Karió", ocupantes de lo que es actualmente Asunción y su zona de influencia. Claro que previamente debieron correr a los nativos a arcabuzazos, en un combate tan breve como decisivo en Lambaré. Los indígenas se dieron cuenta de su inferioridad militar y optaron por la negociación entregando lo único que entusiasmaba a sus vencedores: las mujeres.

El asunto fue iniciado por el propio Juan de Ayolas, quien recibió seis mujeres indígenas, como obsequio, en prueba de amistad; "la mayor, de diez y ocho años", (7) comenta con inocultada envidia Schmidl. Es que entregar una mujer era obsequio que, para los "Kari'ó", creaba vínculos de segura y firme alianza. El padre Lozano dice que "el agasajo principal de los caciques a las personas de respeto era enviarles una o dos de sus mujeres"(8).

Cuando Irala hizo las paces con un cacique, éste le entregó su hija, con todas las prerrogativas imaginables sobre ella. El conquistador no tenía tiempo que perder y tomó inmediata posesión de la doncella. Mientras se consumaba el acto, unos ochenta indígenas hacían afuera una bulla infernal, con acompañamiento de tambores, celebrando la formalización del convenio. El deporte se volvió tan tupido que el arcediano Martín Barco de Centenera elevó al cielo, tiempo después, una angustiada plegaria: ante sus pías narices se estaba organizando nada menos que una sucursal del Paraíso de Mahoma. Una calamidad.

Schmidl confiesa haberse sumado después, activamente, a la competencia, poniendo en ello seguramente su intransigente disciplina teutónica. Cuenta de ciertas Jaurúes, del norte del río Paraguay —probablemente pertenecientes a las aguerridas etnias pámpidas—, con la suficiencia de quien ya tiene buen conocimiento de causa, que eran **muy lindas y grandes amantes y afectuosas y muy ardientes de cuerpo...**"(9). En esto no hay discrepancia con Alvar Núñez Cabeza de Vaca, quien conviene en que, desde luego, las nativas no eran reacias a estos comercios, ya que **"de costumbre no son escasas de sus personas y tienen por gran afrenta negarlo a nadie que se lo pida y dicen que para qué le dieron sino para aquello"**(10). Los españoles no fueron descorteses. Había que hacer honor a la tradición de hidalguía castellana.

UN COCTEL IMPORTADO

¿Y los españoles? ¿Quiénes eran los que constituían el otro extremo del ovillo? Las crónicas revelan a andaluces y extremeños en su mayoría, pero no faltaban vascos ni castellanos. Se les sumaron años después catalanes, valencianos, malagueños; en fin, todos los pueblos que habitaban España y que hasta hoy conservan celosamente todo aquello que los diferencia. Han mostrado ser tan tercos en esto que ni siquiera pudieron ser disuadidos por el patriótico esfuerzo uniformador —exterminio mediante— practicado por el Generalísimo Franco. Y conste que tuvo a su favor la indiscutible gracia de Dios y la celestial cooperación de los ángeles. Fue inútil. Las distinciones permanecen hasta hoy.

Entre los primeros expedicionarios había, además de representantes de varias de las "razas" españolas, lansquenetes alemanes como Ulrico Schmidl e ingleses como Colman; y probablemente más de un moro y judío conversos, prestos a santiguarse cuarenta veces por día para desorientar a los espías de la Inquisición. Schmidl nos dejó una sabrosa crónica sobre el descubrimiento y conquista del Río de la Plata, que sigue siendo una obra de gran interés. En cuanto a Colman, de quien dicen que había perdido un brazo en una refriega, no habrá sido manco totalmente porque sus descendientes se multiplicaron por todo el territorio.

Ya estaba el primer núcleo de conquistadores instalado en Asunción cuando arribó un importante grupo de italianos —Aquino, Centurión, Rizo, Troche y otros— al naufragar la nave de León Pancaldo, cargada de mercancías. Los italianos debieron vender sus productos a los conquistadores, recibiendo a cambio promesas de pago —eso sí, debidamente formalizadas ante escribano—, a las resultas del oro que éstos iban a traer del "Candiré". Jamás nadie vio un cobre. Pero también esta sangre se mezcló con el torrente general, regido por la mescolanza y la lubricidad.

Los italianos entregaron sus mercancías —arcabuces, rodelas, paños, etcétera— y se quedaron con pomposos y robustos documentos en los cuales los conquistadores se comprometieron a pagar la deuda "del oro o plata y otras riquezas que en esta Provincia del Río de la Plata o en las doscientas leguas de costa del Mar del Sur que les pertenecen de esta conquista que hubieren habido y hubiere de que se haga repartimiento o repartimientos a los conquistadores de esta conquista puestos y pagados en cualquier parte o lugar de esta conquista y provincia" (carta obligación de Juan de Sotelo y Vicente de Mendoza a favor de León Pancaldo) (11).

Rafael Eladio Velázquez asegura que "no sería aventurado afirmar que **el número de españoles que participaron activamente del mestizaje habría oscilado entre 1.000 y 1.200**"(12). Todos ellos se sumergieron en el mar de nativas "muy ardientes de cuerpo" con el frenesí de quien sabe estar cumpliendo una elevada misión histórica. En el apresuramiento, alguno hasta habrá olvidado quitarse los hierros que le cubrían. Trágica habrá sido la situación de aquellos a quienes la humedad del trópico inutilizó las bisagras y tuvieron que dejar encerrado el furor reproductor dentro de tanta coraza inútil.

SEGUNDA MANO DE PINTURA

Con ambas "razas" se produjo el intenso proceso de mestizaje que nunca olvidan mencionar los historiadores. En lo que suelen discrepar es en cuanto a la mayor o menor influencia de unos u otros ancestros. Bertoni, por ejemplo, pone énfasis en nuestros ancestros indígenas. Pero, para no ser perfecto, añade algunas cosas de su propia cosecha. Trata de desvalorizar el estereotipo del guaraní, presentado por la iconografía colonialista como un ser de aspecto brutal, de labios gruesos y de mirada torva. Por el contrario, asegura: "En la cruza de guaraníes con españoles sucede frecuentemente que los descendientes parezcan en su mayoría españoles. Es debido sobre todo a que del lado guaraní ha habido un tipo que por su desarrollo físico ya presentaba cierto parecido con las razas europeas, y esto ha sucedido con frecuencia, tanto más cuanto los españoles daban naturalmente la preferencia a los tipos más hermosos"(13).

Luego de este blanqueo que por poco nos convierte en vikingos, no puede extrañar el entusiasmo de Manuel Domínguez, quien echa encima del cuadro de Bertoni una justiciera segunda mano, con la energía de un flamante artista de brocha gorda. "**El Paraguay fue colonizado por la más alta nobleza de España**. Por la mejor gente, del mejor tiempo, por vascos y castellanos, sobre todo... El noble fuerte mezcló su sangre con la del guaraní que era sufrido y nació el mestizo que no era el de otras partes.

Aquel mestizo en la cruza sucesiva se fue haciendo blanco, a su manera, porque se aprende en historia natural que el tipo superior reaparece en la quinta generación; **blanco 'sui generis'** en quien hay mucho de español, bastante del indígena y algo que no se encuentra o no se ve ni en el uno ni en el otro, separados..."(14).

Domínguez acumula cita tras cita para defender su tesis, en su empeño por descubrir "el no sé qué del paraguayo"(15). Y, más adelante, insiste con indeclinable fe: "**Este pueblo es blanco, casi netamente blanco**"(16), explicando seguidamente sus virtudes como resultados del medio físico. Lo cual, recapitulando sobre sus fuentes —Azara, Demersay, Du Graty— le permiten concluir: "**¡Más blancos, más altos, más inteligentes, más hospitalarios y menos sanguinarios que los otros!**"(17).

Sus fuentes, generalmente extranjeras, parecen insospechables. Leyendo, por ejemplo, a Demersay, nos echa encima la talla media de nuestra gente: 1,72 m. Dato tremendo comparado con la talla promedio de la especie humana, que tampoco olvida citar Domínguez: 1,62 m. No se sabe a qué paraguayos conoció Demersay, para haberlos visto tan altos. Una de dos: o Demersay era un enano o habrá entrado en un estadio de básketbol. Alguien, más juicioso, pensaría que el francés habrá tomado las medidas en algún cuartel, tal vez el de la escolta del presidente, que sólo admitía a reclutas gigantescos.

El animoso Domínguez no titubea en postular que el paraguayo era "un blanco sui géneris, bravo, fuerte" y superior —"como raza"— a los que lo invadieron en el siglo XIX y "por el medio físico en que se desarrolló su raza y en las energías que derivan de esta causa en sobriedad, agilidad, en ser infatigable, sufrido, ¡muy sufrido! hasta el límite a donde puede llegar la naturaleza humana"(18).

UNA PIZCA DE CANELA

A este conglomerado se sumaron los esclavos negros. Y cualquiera sabe que lo negro es solo un pigmento de la piel y no una raza, ya que razas había de todas clases en Africa y para todos los gustos imaginables. Diferían en estatura, en grado de civilización, en color, en rasgos faciales y en medidas antropométricas. Desde el Watusi hasta el Pigmeo, pasando por el Zulú y el Angola, tenemos allí todos los grupos humanos —"razas"— imaginables.

A fines del siglo XVIII, la relación de Juan F. de Aguirre establece en 10.840 el número de "pardos", sobre una población total de 96.630. **¡Más del 10%!** Azara proporciona un revelador informe sobre los negros en el Paraguay en la época colonial. Explica que en el Paraguay de aquel tiempo había tres clases de hombres muy diferentes: "indios, europeos o blancos y africanos o negros. Las tres se mezclan francamente resultando los individuos de que voy a hablar llamados con el nombre general de pardos aunque bajo el mismo incluyen a los negros"(19).

El hijo de indio —explica Azara— y blanco es un **mestizo**; el hijo de africano con blanco indio es un **mulato**; si el hijo mulato de negro y blanco se junta con un blanco, tenemos un **cuarterón**, por tener solo cuarta parte de negro; si, por el contrario, la unión del mulato es con un negro, aparecerá un **cuarto atrás**, porque sale con tres cuartos de negro"(20).

Azara es muy generoso con los paraguayos, pero juzga que el mulato resultante de europeo y africano es superior, en vigor, talento y viveza, que el mulato resultante de indio y negro. Pero en cuanto a lo moral, "noto muy poca diferencia entre mestizos y mulatos, pues aunque entre ellos los hay muy honrados, **lo más general es ser inclinados a la embriaguez, al juego de naipes y a las raterías**" (21).

En la Guerra Grande hubo muchos combatientes negros y mulatos. Hasta llegó a formarse una unidad con ellos: el batallón "Nambi'i". El sargento Cándido Silva, el trompa que anunció la victoria de Curupayty, era negro. Negra era Doña Calí, de aplaudida memoria por sus inolvidables chipas. De notorios negros y mulatos está llena nuestra historia. Aun hoy la sonoridad de lustrosos apellidos patricios apenas logra disimular la inconfundible piel canela, los labios gruesos y los delatores cabellos ensortijados que proclaman largas genealogías africanas. Expurgadas, como corresponde, del árbol genealógico familiar.

Para cooperar con este color de antigua solera, debemos contabilizar prudentemente la gran cantidad de violaciones que habrá realizado la soldadesca brasileña, en la que menudeaban los esclavos negros. **Cuarenta y cinco negros por cada blanco,** dice

Chiavenatto. Fueron parte del usurario precio pagado por el Paraguay a la Triple Alianza. Precio que sus soldados, ocupantes armados de nuestro suelo, no se habrán demorado mucho en cobrar. El asunto es fácil imaginarlo. Al fin de cuentas, aquella era una cruzada "civilizadora" y no era cosa de tomarla en solfa. Había que hacer las cosas en forma o no hacerlas. ¡Qué embromar!

EL ALUVION DE LA POSGUERRA

Todavía no concluía la guerra contra la Triple Alianza cuando llegaron nuevas oleadas de inmigrantes. Asunción, ocupada por los aliados —la ocupación se realizó en los primeros días de enero de 1869 y la guerra terminó en marzo de 1870—, recibió un fuerte contingente de italianos. Su primera contribución a la cultura nacional fue la quema de un diario —"La Regeneración"— que los atribuyó, parece que injustamente, no sé qué delito. Sin contar los brasileños —Chaves, Pereira, Piris, Da Silva, Da Rosa, Da Costa, Mendes y muchos otros— además de vivanderos, pícaros, mercachifles, tahúres, vividores, aventureros, soñadores, "madamas", prófugos o simples desatinados traídos por la oleada de la Alianza y que terminaron instalándose en el Paraguay.

En general, la inmigración acumulada entre 1881 y 1921 — faltan los datos de 1869 a 1881— fue de **22.305 registrados**. Cifra nada despreciable considerando que la población paraguaya, según la corrección de José Jacquet al censo de 1886, llegaría a poco más de 329.645.

Para complicar las cosas, la guerra contra la Triple Alianza redujo drásticamente la población masculina. El censo de 1886, ya citado, muestra esta realidad entre los grupos de edades: hombres de 15 a 20, 10.641; mujeres de 15 a 20, 13.478. Hombres de 21 a 30, 22.586; mujeres de 21 a 30, 31.900. Hombres de 31 a 40, 6.420; mujeres de 31 a 40, 18.697 **(el triple)**. Hombres de 41 a 50, 3.497; mujeres de 41 a 50, 12.124 **(el triple)**. Hombres de 51 a 70, 2.652; mujeres de 51 a 70, 9.285 **(el cuádruple y más)**.

En fin, uno puede imaginarse todo lo que pasó —y cómo— al concluir la guerra. El paraíso de Mahoma de la lejana época de Irala habrá quedado reducido a la altura de un poroto. Un periódico anarquista de comienzos de siglo, dirigido por Leopoldo Ramos Giménez, apuntó malignamente al general Caballero y a monseñor Bogarín por haber asumido la tarea patriótica de repoblar al Paraguay. El primero fue, como se sabe, fundador de uno de los partidos tradicionales del Paraguay. El segundo, primer arzobispo de Asunción. Claro que a los anarquistas no hay que tomarlos nunca al pie de la letra.

EL MEJOR "PEDIGREE"

Por aquella misma época Cecilio Báez tronaba a favor de la tesis del cretinismo nacional. La nefasta experiencia histórica habría producido —decía— un producto degenerado. Habría en ello, quizá, el eco asordinado de las palabras del doctor Francia —"**país de pura gente idiota**", decía el Supremo—, en agria carta dirigida a uno de sus comandantes de frontera. Se quejaba el Dictador de que sobre sus agobiados hombros caía todo el peso del gobierno, ya que nadie sabía hacer nada. Sólo él.

Como la raza paraguaya, según esta teoría, era una calamidad, había que mejorarla con sangre europea a raudales. Quizá así habría alguna esperanza de redención. Pero esta actitud no era un lunar en el hemisferio. Era la versión local del aluvión positivista que invadió a América como la peste. Parte del discurso positivista consistía en proclamar que los americanos eran, racialmente hablando, un desastre. Con el buen ojo del cuidador de caballos, los positivistas aseguraban que el mejor "pedigree" lo tenían los hombres rubios y de ojos azules. Era tal la admiración americana hacia estos dechados de perfección que el subconsciente colectivo no ha dejado de registrarla. De ahí viene el dicho popular **"ñandejara rire, gringo"** (después de Dios, el gringo).

No hay discurso político de fines del siglo XIX y comienzos del XX que no esté repleto de ardientes llamadas a la inmigración europea "para mejorar la raza". Una digresión sobre una actitud pintoresca: la mujer de evidente origen europeo es aclamada por virtudes que resultarían extrañas en el Viejo Mundo. "**Hague'ipa**

ningo" (está llena de vellos) se enternecerá un paraguayo, como máxima expresión de admiración a una mujer deseada. Y no como un reclamo de inmediata depilación, por razones estéticas e higiénicas, sino como admiración ante uno de los signos visibles de la belleza femenina.

Ese sentimiento era moneda común en la intelectualidad latinoamericana de la época. La competencia era feroz. Era cuestión de ver quien arrojaba mayor cantidad de estiércol sobre su propio pueblo. Sarmiento hizo maravillas para descollar en esta cruzada. Arguedas, el boliviano, pasó después al frente, por una cabeza, con su magistral obra "Pueblo enfermo". Se refería al suyo. ¿Cuál otro podría ser? En el Brasil, Jose Veríssimo intelectual de nota, se preguntaba: "O que se pode esperar de un povo feito do conluio de selvagens inferiores, indolentes e grosseiros, de colonizadores oriundos da gente mais vil da metropole —calcetas, assasinos, barregoes— e de negros bocais e degenerados?" (22).

Era la época en que se suponía que Buenos Aires era un barrio de París y que allí iba el porteño cuando moría y no al cielo. El porteño, ya se dijo, es un francés honorario. Bogotá sollozaba cuando se le cantaba esta ardiente endecha: Atenas sudamericana. Todo lo bueno de estos lugares tenía un motivo: su esencia europea. Lo demás era despreciable.

El brasileño Joaquim Nabuco, en su autobiografía, escrita allá por el 1900, nos pinta un cuadro exacto de esa difundida tilinguería: "O sentimiento em nos e brasileiro; a imaginaçao, europeia. As paisagens todas do Novo Mundo, a floresta amazónica, ou as pampas argentinos nao valem para mim un trecho da via Appia, una volta da estrada de Salerno a Amalfi, un pedaço do cais do Sena a sombro do Velho Louvre"(23). ¿Por qué ensañarnos con los pinitos de Cecilio Báez?

UNA RECETA DE DOÑA PETRONA

¿Qué somos entonces, étnicamente hablando? Nada y todo. Si quisiéramos hacer una receta, podríamos proponer la siguiente: ponga seis partes de indígena, mayoritariamente guaraníes de la región central, sin desdeñar alguno que otro Payaguá, Guayaquí,

Guaikurú, Toba, Moro, Chamacoco, etcétera. Agregue dos partes de andaluz y extremeño, y algo de vasco. Ponga una pizca de inglés, alemán, italiano y alguno que otro moro o judío de riguroso incógnito. No olvide dejar caer algo de negro, pero con generosidad.

No se impaciente y espere el paso de un par de siglos para echar otra parte de italianos y alemanes, en igual proporción. Espere un poco y espolvoree árabes, franceses, croatas, servios, montenegrinos, polacos, rusos y ucranianos. Revuelva con fuerza. No se precipite, porque necesitará arrojar algunos armenios, escandinavos e irlandeses. Haga una pausa y respire profundamente para tomar fuerzas, pero no crea que ha concluido porque antes de sacar el pastel del horno tendrá que agregar, con idéntica largueza, japoneses, chinos y coreanos. Déjelo todo al bañomaría.

No se preocupe con las apariencias que distinguen a unos ingredientes de otros. Sólo tendrá que armarse de paciencia porque sólo el tiempo le permitirá acudir nuevamente al horno para extraer de allí el resultado final.

NOTAS

1. Meliá, Bartomeu. **Una nación, dos culturas**, RP ediciones-CEPAG, Asunción, 1988, p. 59.
2. Cabeza de Vaca, Alvar Núñez. **Naufragios y comentarios**, edición de Roberto Fernando, Historia 16, Madrid, 1984, p. 197-198.
3. Id. p. 199.
4. Id. p. 162.
5. Bertoni, Moisés. **Resumen de prehistoria y protohistoria de los países guaraníes**, editor: Juan E. O'Leary, director del Colegio Nacional, Asunción, 1914, p. 49.
6. Id. p. 71.
7. Schmidl, Ulrico. **Derrotero y viaje al Río de la Plata y Paraguay. 1534-1554**, edición dirigida y prologada por Roberto Quevedo, Asunción, 1983, p. 64.
8. Citado por Cardozo, Efraím, **El Paraguay colonial; las raíces de la nacionalidad**, Asunción, 1959, p. 64.
9. Schmidl. Ob. cit. p. 122.
10. Cabeza de Vaca. Ob. cit. p. 292.

11. Ministerio de Educación y Culto. "Cartas de obligación a favor de León Pancaldo", en **El Archivo Nacional,** Asunción, 1988, p. 23.
12. Velázquez, Rafael Eladio. "Indígenas y españoles en la formación social del pueblo paraguayo", en **Suplemento Antropológico,** Universidad Católica-Centro de Estudios Antropológicos, Asunción, vol. XVI, No. 2, diciembre de 1981, p. 34.
13. Bertoni, ob. cit. p.104.
14. Domínguez, Manuel. **El alma de la raza,** prólogo de Juan E. O'Leary, biblioteca del Centro de Estudiantes de Derecho, Asunción, 1918, pp. 17-18
15. Id. p. 23.
16. Id. p. 55.
17. Id. p. 56.
18. Id. p. 47.
19. Azara, Félix de. **Descripción e historia del Paraguay y del Río de la Plata,** t. I, Imprenta de Sanchiz, Madrid, 1847, p. 292.
20. Id.id.
21. Id. Id. pp. 294.295.
22. Veríssimo, José. En Darcy Ribeiro, **Aos trancos e barrancos,** editora Ruanabara, Río de Janeiro, 1985, p. 26.
23. Nabuco, Joaquim. En Darcy Ribeiro, Ob. cit. p. 24.

VI

EN DONDE SE OLFATEAN ALGUNAS CLAVES DE LA CHINA SUDAMERICANA Y SE REALIZA UN PASEO CON OLAF EL VIKINGO.

VI

San Agustín, encerrado en sus negros pensamientos, viendo al orden romano sucumbir bajo la feroz embestida de los bárbaros, se preguntaba angustiado: Quid ergo sum? (¿Quién soy yo?) Pregunta capital, de múltiples y contradictorias respuestas, capaces de promover más de un impresionante tratado de antropología filosófica. Alguien podría sugerir que la paraguayología debería comenzar con una pregunta parecida: ¿Qué somos los paraguayos? Algunos creen que esta pregunta debe ser respondida fisgoneando en nuestras raíces étnicas. Otros se preocupan más por los contagios culturales y otros por la forma en que el mestizaje fue acompañado de un intenso sincretismo cultural. Las pistas son numerosas y contradictorias, como las pisadas que una multitud deja impresas en un arenal. Seguirlas puede producir una sensación de angustia o de borrachera. Veamos algunos ejemplos ilustrativos.

Hace algunos años, el francés Jacques de Mahieu, investigador del Instituto de Ciencias del Hombre, anduvo buscando los rastros de la presencia vikinga en el Paraguay en tiempos muy remotos. Según sus conclusiones, los Guayakí serían descendientes degenerados de aquellos temerarios navegantes del Atlántico que escandalizaron a Europa con dos hábitos repudiables: el saqueo periódico de las poblaciones costeras y el consumo de cerveza en el cráneo de los enemigos.

Dice De Mahieu que las cuevas de nuestro país, desde Cerro Polilla hasta el Amambay, están llenas de signos rúnicos, unos garabatos que constituían su escritura. En ellos el francés leyó suntuosos mensajes, referencias genealógicas y hasta avisos comerciales. Esto quiere decir que, si lo que dice De Mahieu es cierto, los compatriotas de Olaf —personaje de historietas y viva imagen del antihéroe, que distribuye su vida entre saqueos y borracheras en la oscura Europa medieval— y del doctor Socotroco anduvieron paseándose por lo que es hoy nuestro territorio. Algo pudo haber quedado de ellos en los paraguayos, a través de las misteriosas cadenas genéticas, pasando por los indómitos Guayakí.

EL APORTE DE LA HEMATOLOGIA SOCIAL

No ignoraré el esfuerzo del animoso Félix Muñoz, contenido en su libro "Cómo somos los paraguayos: el extraño y misterioso origen de las costumbres de los pueblos por medio del estudio de los grupos sanguíneos". Como su nombre lo sugiere, se trata, prácticamente, de un tratado de hematología social y cultural en el cual el autor realiza un ordenado cotejo de pueblos, costumbres y grupos sanguíneos. Las conclusiones podrán alarmar a los gurúes de la antropología social, pero no dejan de invitar a la cavilación.

Muñoz encuentra, primeramente, que el grupo de sangre predominante en nuestro país es el "0", con un triunfal 63%. Le sigue, pero a distancia, el grupo "A", con un ruidoso 30%. Por último, ya cerca del descenso a las divisiones inferiores, nos encontramos con el grupo "B", que nos ofrece un ínfimo 7%. Minoría intrascendente, sólo mencionable por razones de gentileza estadística.

Sobre tal fundamento, erige esta conclusión: "Encontramos al paraguayo, hombre del trópico, como un ser soñador, afectivo, poético y artista"(1). Y explica: "Los grupos de sangre predominantes, el "0" y el "A", le dan también la misma característica que le impone su posición geográfica: entusiasmo fugaz, remesonero. De aparente porte indolente, en su mayoría, pero no llega a lo que dice Rodó del nativo del altiplano y de los Andes: "triste, sumiso y apático; el dolor secular y el oprobio le han gastado el alma y apagado la expresión del semblante" (2).

¿CUANTO NOS QUEDA DE INDIGENA?

Pero el problema no se reduce a sus aspectos estrictamente étnicos, lo cual sería una cuestión de menor importancia. Hay otra cuestión clave que se esconde detrás de la lectura racial del proceso de mestizaje, y es ésta: ¿Cuánto de indígena queda en nuestra cultura? Es difícil saberlo. Cierta corriente nativista acentúa esa influencia lejana y se solaza en multiplicar un discurso poblado de plumas y flecheros con seguras alusiones a uno de los más populares mitos paraguayos: el idilio hispano-guaraní, consumado a la vera de algún arroyo rumoroso y con un decorado de palmeras y lapachos en flor.

Otra escuela sugiere que todo lo indígena fue definitivamente enterrado bajo una fuerte capa de cultura occidental y de religión cristiana. Sin embargo algunos creen que "no está claro qué es 'cristiano' y qué pervivencia de pautas y valores precristianos del 'ava guaraní' en lo que impropiamente se adjudica a la religiosidad popular, pero **queda suficiente evidencia de que el ritual cristiano y los signos de la nueva fe han perdido mucho de virtualidad transfiguradora... ante el impacto del pensamiento mágico del ancestro indígena**"(3).

TALLARINES Y HAMBURGUESAS

Cada grupo que llegó a esta tierra aportó lo suyo a la bullente olla cultural. No todo es indígena o español en ella, como podría suponerse en una evaluación apresurada. La lista de contribuciones sería muy larga, pero pueden ofrecerse de ellas algunos ejemplos muy llamativos. Ellos fueron desfigurando —o configurando, si se quiere— la gastronomía, los hábitos sociales, la artesanía, la música, la vestimenta y muchos otros aspectos de la cultura, integrándose a ella hasta tal punto que su origen se ha olvidado.

De Italia llegaron muchas cosas: las pastas, por sobre todas las cosas, con su batería de ñoquis, lasagnas, pizzas, capellettis y los tallarines de los sábados. A los italianos se debe en gran parte la substitución de la cultura culinaria del maíz por la de la harina. Este cambio, que se operó poco tiempo después de concluir la guerra contra la Triple Alianza, puede ser seguido en las estadísticas anuales de importación de harina.

También les debemos las altas fachadas de las casas de fines del siglo XIX y comienzos del XX, que modificaron profundamente el aspecto de nuestras ciudades; fueron levantadas bajo la dirección de los constructores italianos que llegaron después de la Guerra Grande. Es difícil determinar cuánto de italiano tiene la guarania, creación de José Asunción Flores. Pero se sabe que este aprendió casi todo lo que sabía de música en la Banda de Policía, dirigida entonces por maestros provenientes de la península, como el célebre Nicolino Pellegrini, para no citar sino al más conocido.

De Inglaterra llegó la presunción de que ofrecer un té vespertino es la quintaesencia de la elegancia, aunque no sea a las cinco de la tarde. Llegaron también los pavorosos paños con que se ataviaban y sudaban los caballeros paquetes finiseculares y de comienzos de nuestro siglo. Agreguemos las empresas exportadoras de extracto de carne y el bien organizado sistema ferroviario, felizmente nacionalizado después para darle el inconfundible toque telúrico de desorden, improvisación y olvido de la puntualidad. De este recuento no debe escapar el fútbol, "deporte de multitudes", según proclama un socorrido lugar común, que parece ignorar que las multitudes no practican este deporte sino que se limitan a contemplarlo. Actividad que permite aliviarse de las tensiones de la semana recordándole a cada momento al árbitro la profesión de su madre. También de la "rubia Albión" llegaron el baloncesto, el handbol y el rugby, el "pocker" y el dorado whisky escocés, que desplazó felizmente a la caña homicida.

El arroz llegó del Oriente para convertirse en parte principal de la dieta cotidiana. Y también para ser arrojado a los novios que salen de la iglesia luego de haber sido unidos en matrimonio y entregados a la implacable y memoriosa puntillosidad de los registros parroquiales y los que lleva el Estado; actividad policiaca que permite espiar el estado civil de las personas. De los Estados Unidos nos llegó una verdadera inundación. Ella tiene numerosos caballitos de batalla: la "música disco" que permite a los oyentes de las emisoras de radio adquirir la grata sensación de vivir en Mannhattan o en Los Angeles; los "jeans" que substituyeron al antiguo bombachón de los hombres de campo; el escueto y ruidoso "okey" que pronuncian con igual eufonía el changador del puerto y el gerente de un banco. Y también las abominables hamburguesas, versión degradada del folclórico "payaguá mascada", de grata memoria.

De Francia llegaron la religión de la moda y varias palabras que pasaron a nuestra jerga popular. De tan comunes, hoy pasan inadvertidas. Entre ellas, "chofer", "restaurante", "garaje", "menú", "cabaret", y hasta "marchante" como se autodenominan, con toda justicia, las tetudas y desaforadas vendedoras del Mercado de Pettirossi. Y también de Francia llegó la consular expresión "madame" que designa a un oficio —dicen que el más antiguo de la humanidad— consistente en dirigir un comercio acosado por impacientes relojes.

DOCTRINA ARIA PARA MORENOS

De Alemania, en fin, llegaron los cascos de hierro rematados en un agudo pararrayos —los usaron los militares de comienzos de siglo— y la superstición de que todo tudesco es un buen mecánico. Llegaron también los uniformes y los reglamentos empleados por el Ejército a comienzos del siglo, así como los asesores militares que imperaron bajo la sombra del coronel Adolfo Chirife. Era tal la influencia germana en la milicia en esa época que cierto oficial socarrón la ejemplificó —según anécdota relatada por el General Amancio Pampliega— con una sangrienta pulla: se cuadró marcialmente, con un estrepitoso entrechocar de botas, ante un rubicundo choricero alemán que ejercía su oficio en Encarnación. Cuando se le preguntó el motivo del insólito saludo explicó, naturalmente en guaraní, que era simple precaución: si el Coronel Chirife llegaba a ver al buen choricero, de seguro lo incorporaría al Ejército como jefe.

La derrota de Chirife en la guerra civil de 1922-23 marcó el ocaso de la hegemonía de la doctrina germana y de sus profetas en el Ejército. "Así terminó para siempre el auge del germanismo mercenario en nuestro Ejército. Con él se fueron por la borda el paso regular, la levita de doble botonadura, el casco prusiano y otras excrecencias del militarismo importado. (El casco ya había sido desterrado en 1918, por haber excedido su término de servicio)"(4).

De Alemania llegó también la doctrina nazi, que proclama la supremacía de una raza rubia y de ojos azules sobre los demás pueblos de la tierra, condenados "ab initio" a la esclavitud o al exterminio; doctrina abrazada con veneración por paraguayos morenos, de ojos y cabellos negros, en los que se advierten hasta la saciedad los desafiantes rasgos que delatan antiguas cepas indígenas. Razas condenadas "ab initio" a la esclavitud o al exterminio.

Y no olvidemos a la cerveza, que reconoce la misma fuente. Fue un alemán quien instaló la primera cervecería, con tan buena suerte que la bebida conquistó fieles adeptos inmediatamente. Se puede decir que hoy es la bebida nacional por excelencia, superando de lejos a cualquier otro líquido espirituoso. El consumo de cerveza nacional fue estimado recientemente en 22 botellas por año y por habitante, cantidad impresionante si se considera cuál es la franja de habitantes con edad y recursos para empinar el codo con esta agradable bebida.

QUIERO VALE CUATRO

La polca que desata el entusiasta "pipu" que alegra un baile —sobre todo si es la del partido gobernante— viene de Polonia. Y de Inglaterra, el "London Karapé", presentado por los profesores de baile folclórico como la danza nacional por excelencia. Ya de por sí pobre en ritmos nuestro patrimonio musical, se encargaron de depauperarlo aún más nuestros siempre fraternos vecinos, rebautizando a la polca como "litoraleña".

El truco, simpático juego al que la cárcel de Tacumbú debe la mayor parte de sus inquilinos, es español hasta los tuétanos o, si se quiere entrar en ambiente, hasta el vale cuatro. Se truquea en varios países de América, y hasta con las mismas señas que anuncian —o mienten— las cartas codiciadas.

Ni siquiera la flora es ajena a esta subterránea infiltración. Del exterior llegaron la caña de azúcar, el limón y la naranja. El limón "sutí" es, en realidad, limón "ceutí"; o sea, de Ceuta. Entre los cítricos, el único paraguayo es el modesto y despreciado "apepú" de rugosa cáscara, cuyo agrio jugo suele hacer más llevaderos ciertos infernales cocteles criollos. El "jazmín Paraguay" es igualmente foráneo, así como la rosa, ambos infaltables en todo jardín modestamente organizado.

Para robustecer mi desconsuelo, ni siquiera la mandioca es genuinamente nacional pese a ser celebrada como la quintaesencia de la paraguayidad; tanto que hasta se quiso ver en ella la explicación de las excelsas virtudes de la raza. La expresión "más paraguayo que la mandioca" tiene una triste inexactitud: este popular tubérculo es conocido y consumido en casi toda América.

Hasta los árboles plantados como ornamentos de plazas y parques son, casi todos, extranjeros, pero bien afincados en nuestra tierra y, por consiguiente, han devenido raigalmente paraguayos, y aquí no hay metáfora. El mango, que desparrama sus frutas y su perfume por todo el país, es originario de la India; el chivato viene de Madagascar; la villetana, de América Central; el paraíso, de algún remoto sitio del Asia.

EL IDIOMA INFILTRADO

Germán de Granda, en un documentado análisis de la lengua paraguaya —"Sociedad, historia y lengua en el Paraguay", Publicaciones del Instituto Caro y Cuervo, LXXX, Bogotá, 1988— nos entrega sorpresas innumerables. Con el entusiasmo de un detective, nos enseña el origen de numerosas palabras incorporadas al lenguaje local. Por ejemplo, su recopilación cataloga algunas que provienen del **lenguaje náutico**. Entre ellas: abarrotar, abombado, aguada, arribeño, aviarse, bajo (depresión del terreno), bastimento, bolicho, bordear, chicote, despachar (como enviar), encomienda (como paquete), estero, estadía, garúa, mariscar, mazamorra, piola, petaca, picada (sendero en el bosque), piolín, plan (como parte inferior de un vehículo), rebenque, rumbo, tajamar, zafarrancho, toperol.

Palabras que vienen del **léxico castrense colonial** son, entre otras, las siguientes: campaña (área rural) disparar (huir), bala/balita, fogueado, ranchear, compañía (área rural vinculada con una población urbana). Del **portugués** provienen palabras como bosta, cacho (racimo), carimbo, casal (como pareja), cerrazón, changador, chantar (dejar plantado), despachante (encargado de tramitar asuntos aduaneros), fariña, liña, jangada, mucama, naco, pandorga, pedregullo, plaguearse, pibe (muchacho), quilombo, rabincho, zuncho, safado, soco, tranquera, farra y cachada.

Hasta hay palabras que llegaron del **Africa** a través del portugués, entre ellas "pombero" y "macatero". La primera viene de "bombero" con el significado de espía, explorador, vigilante o vigía. Pombero vendría nada menos que del bantú. Finalmente, "macate", que proviene de Omán, territorio ubicado al sureste de la península arábiga, cuya capital era Mascate.

La lista de **italianismos** es igualmente larga. Ofreceré seguidamente algunos de los hallazgos del infatigable Germán de Granda: afiatado, altoparlante, al uso nostro, ambiente (habitación), atenti, batifondo, bochar (ser reprobado en un examen), capo, corso (carnaval), crepar (morir), crosta (inútil), cucha (caseta de perro), chau, ecolecuá, escorchar (molestar), festichola, fiaca, foguista, fregar (fastidiar), guarda (atención), lungo (alto), negocio (tienda), pastafrola, sonar (fracasar), tratativa (gestión), cana (policía), chapar (acariciarse), malandra (sinvergüenza), mersa, pelandrún, peseto, pulenta, toco (porción de dinero), urso (hombre grande), aspamento (fanfarronada), chimentar, falluto, farabuti (fanfarrón), palpite, (presentimiento), yeta (mala suerte), bulón, caficho, campana (el encargado de dar la alarma en un grupo de delincuentes).

LA "CHINA SUDAMERICANA"

Como se ve, las opiniones están divididas en cuanto a las características de nuestras raíces: o un paupérrimo tubérculo atacado por satánicos insectos o el poderoso brazo que se hunde en la tierra victoriosamente y resiste con soltura a plagas y tempestades. La pregunta inicial –¿de dónde venimos?– recibe así respuestas tan numerosas como contradictorias. Lo único cierto es que algunos hechos pueden servir de pistas remotas al Sherlock Holmes que pretenda penetrar en la intimidad de nuestra cultura.

El primero de estos hechos es el aislamiento geográfico. Alejado de las rutas del comercio internacional, sin control sobre ninguna atalaya estratégica, sin metales preciosos y sin ningún producto codiciado en el resto del mundo, muy pronto el Paraguay comenzó a ser olvidado. Un escritor argentino produjo una obra —"Zama"— en la que narra las desventuras de un funcionario colonial español que es enviado a Asunción y queda olvidado. Era como si lo hubiesen enviado a Siberia. Algo de eso habrá ocurrido con los que enviaba la corona hacia estos parajes.

Lima, Buenos Aires y Montevideo engordaban con el comercio, legal e ilegal, mientras Asunción languidecía en el ostracismo. Para empeorar las cosas, el comercio paraguayo debía pasar por toda clase de puertos precisos y pagar toda clase de tributos. Su itinerario era tan complicado que hubo época en que el tráfico debía canalizarse a lomo de mula hasta el Perú y de allí a Panamá para, finalmente, enlazarse con España, previo paso a través del istmo. Ni Kafka hubiera podido elaborar un sistema más complicado. De allí surge el contrabando como el oficio nacional por excelencia.

A la distancia de los mercados se sumó el hecho adicional de la mediterraneidad, consolidada por bosques impenetrables o por hostiles desiertos como el del Chaco. El aislamiento geográfico creó, junto con otros factores que no olvidaremos, esa impronta de insularidad que ha llevado a un escritor hablar de "la isla sin mar" y a otro de "la isla rodeada de tierra". O, mejor aún, la China sudamericana, como se llamó al Paraguay durante buena parte del siglo XIX.

La dictadura del doctor Francia —1815-1840— se encargó de robustecer ese encerramiento, probablemente por razones de seguridad ante la permanente amenaza anexionista de Buenos Aires. Somos, seguramente por todo ello, los **isleños de tierra adentro**. Rengger constata este hecho durante su visita al Paraguay: "**Aislados, tanto por la situación del país como por su lengua, siempre se han distinguido de los demás criollos (de América) por su espíritu nacional**" (5).

A mediados del siglo pasado, vivió en nuestro país el español Ildefonso Bermejo, quien dejó escrita una alegre aunque insidiosa crónica de lo que éste era en esa época. "Pocos son —dijo el autor en su "Vida paraguaya en tiempos del viejo López"— los hijos del país que han salido para visitar lugares que puedan darles idea del movimiento que lleva a los estados a su perfección y embellecimiento material, y menos todavía los extranjeros que llegaron al Paraguay con voluntad y con medios de procurarlo"(6). No se entraba desde el exterior ni tampoco se podía salir, salvo casos muy especiales.

LA SEQUIA PERMANENTE

A lo largo de toda nuestra historia brilla, con deplorable insistencia, un rasgo fundamental: **la pobreza**. La abundancia de mujeres hizo más llevadera esta pesada carga a los conquistadores, pero ya se sabe que no todo es amor en la vida. En los momentos —los más— en que se hallaban fuera de la prisión de los brazos de sus insaciables compañeras, soñaban con el oro que no pudieron conseguir. Hasta la toponimia recogió esta ilusión: Río de la Plata, Villa Rica del Espíritu Santo, Eldorado, etcétera. Pero el río no llevó a ningún sitio en el que se pudiera hacer la América. Villa Rica fue, a su turno, menoscabada con la sentencia de un iconoclasta como "la ciudad de las tres mentiras: no es rica, no tiene espíritu y carece de santos".

La pobreza acompañó, como una impronta permanente, al pueblo paraguayo. Esto contribuyó a la creación de una sociedad no exactamente igualitaria como pretenden algunos mitómanos pero, por lo menos, a una en que las diferencias sociales no eran muy marcadas. No había riquezas que permitiesen el surgimiento de una clase social que pudiese mirar con un catalejo a sus paupérrimos conciudadanos. Nobles y plebeyos vivían en el mismo desierto: con una sequía permanente. Tan pobre era la gente en el siglo XVI, que no circulaba moneda y reinaba la economía del trueque. Anzuelos, hachas y escoplos eran empleados a modo de moneda.

En un informe a la corona, de 1675, que parece el Muro de los Lamentos, se dice que "esta ciudad se está pereciendo de hambre y suma pobreza, porque, además de estar deshecha ya los soldados se hallan a pie por el consumo continuo de caballos, desnudos y sin armas"(7). La situación, por lo que se ve, no había mejorado nada un siglo después de la conquista.

Azara aporta lo suyo a esta descripción de calamidades: "No se conocía allí moneda metálica, minas, fábricas, edificios costosos ni cuasicomercio, ni había lujo en nada, contentándose, el que más, con una camisa y calzones del peor lienzo del mundo. Todo esto y la suma pobreza del país consta en muchos papeles del archivo de la Asunción" (8).

La yerba mate, no obstante, pudo convertirse en cimiento de la economía de exportación colonial. Fue la base de una incipiente acumulación de riqueza que produjo, en su momento, justificadas expectativas. El "té paraguayo" adquirió repentinamente gran popularidad en los mercados internacionales. Un toque de nostalgia hizo que los bosques de yerba fuesen llamados "minas", término que se conserva hasta hoy. "Mineros" eran los que se internaban en ellos para extraer la preciosa carga de hojas verdes y "oro verde", el producto de las minas.

Al comienzo, la Iglesia impugnó el consumo del producto, pero parece que bien pronto los jesuítas se apoderaron de las mejores "minas" de yerba. El mismo informe que comentamos dice que "una de las causas principales de la corta fuerza de esta plaza y de la general pobreza de los vasallos de ella es la usurpación del patrimonio del beneficio y comercio de la yerba llamada del Paraguay" (9).

UN SACERDOTE DESCUBRE EL "TERERE"

Su consumo, que era privativo de los nativos del Amambay y del Alto Paraná, pasó a generalizarse en toda la provincia y aún a otras de la Corona española. Cuando la costumbre de consumir yerba fue descubierta por los sacerdotes, fue considerado asunto de Satanás. El padre Ximénez, por ejemplo, describe este descubrimiento con las siguientes palabras:

"Esta bebida no es otra cosa que agua cualquiera recogida de un río, con un puñado de hojas bien machacadas y pulverizadas de cierto árbol. Las hojas se asemejan a las del laurel y son siempre verdes, y según lo que cuentan los indios viejos, fue el santo Apóstol Tomás quien les enseñó su uso. La gente seca y reduce a polvo estas hojas; **en invierno les echan agua caliente, en verano agua fría, mézclanlo todo bien y después se la beben**. El sabor es como si te redujeras a polvo un puñado de heno seco, lo metieras en un vaso, le agregaras agua fría o caliente, y te lo bebieras(...). Como dicen y opinan todos los médicos españoles, la yerba es sanísima y su fuerza y acción son muy variadas. Refresca y enfría los pulmones y el hígado calentado no permite que se forme arena o piedra, y es por eso por lo que no es fácil hallar a un indio que se encuentre en esa condición y sufra de eso. No sólo apaga la sed, sino sacia y refuerza el estómago; es algo amarga y calma la hiel negra"(10).

El lector avisado no dejará de anotar en este relato de la época colonial que el "tereré", bebida nacional por excelencia, ya era consumido por los indígenas. Carecían entonces de la tecnología necesaria para producir hielo, que les hubiera hecho aún más agradable el persistente chupeteo. Pero es obvio que el hábito ya se hallaba entonces sólidamente arraigado, alentado por Satanás, en lo cual coincidieron los primeros religiosos. Cierto es que cuando descubrieron los buenos negocios que se podía hacer con ella, el producto adquirió inmediato y respetable status divino.

El Alto Perú, también mediterráneo, poseía, sin embargo, el cerro del Potosí, cuyo resplandor iluminaba como un faro el itinerario de los inmigrantes. Pero aquí, en el Paraguay, no había metales preciosos ni forma alguna de minería. La pobreza fue, por eso, una condición que acompañó a los paraguayos desde la época colonial. Lo único que se podía hacer para derrotarla era soñar con Eldorado y la Ciudad de los Césares, como único consuelo.

EL PERFIL RURAL

No olvidemos otra variable: el inconfundible perfil rural de nuestra población. Salvo Asunción —un pequeño conjunto de chozas sobre la bahía, con algunas que otras casas de material cocido—, los demás centros urbanos fueron ciudades únicamente de nombre. Sólo a fines del siglo XIX y comienzos del XX, algunas de ellas comenzaron a crecer, sobre todo como vías de salida de los productos de exportación: madera, yerba, carne, tabaco, algodón. Aún hoy, la población rural sigue excediendo en número a la que vive en zonas "urbanas", expresión ésta que, por cierto, debemos tomar con ciertas reservas.

La vida rural, o semirrural, tiene una inevitable y poderosa influencia en la cosmovisión del pueblo, con su rutina de lentos días, de sombras mezquinas y de malevos soles; con su ambivalente dependencia del agua, maldecida cuando viene a cántaros y añorada cuando hace mutis por el foro; con su religioso temor a la autoridad, ante cuyas arbitrariedades y depredaciones no hay amparo ni refugio posibles; con su dependencia de las misteriosas e incontrolables leyes de los mercados internacionales, invocadas con inequívoco pavor por los intermediarios, quienes arriesgan sus vidas bizarramente —mueren agredidos por el colesterol, el "estrés", la cirrosis, y todos esos males que provienen del olvido de la cristiana frugalidad—, ahorrando a los agricultores el pernicioso contacto con esas remotas divinidades.

Natalicio González se entusiasma y llega a decir en su "Ideario Americano" que "el paraguayo es un agricultor de instinto guerrero pero sin vocación de soldado"(11) y propone a la "reagrarización" como el centro de su programa social y económico.

Lo cierto es que las actuales características de las migraciones internas permiten avizorar un proceso de sostenida urbanización. Ciudad Presidente Stroessner tiene casi cien mil habitantes en un sitio donde hace treinta años no había sino un puñado de pobladores. El ritmo de crecimiento demográfico de las ciudades, aunque sin el carácter explosivo de San Pablo, Ciudad de México o Medellín, es suficiente para crear un nuevo modo de vida urbano para un porcentaje creciente de la población.

En las ciudades es donde más se nota la influencia europea. Los inmigrantes se instalaron principalmente, después de la Guerra Grande, en Villa Rica, Pilar, Concepción, Encarnación, y en otros pequeños villorrios que tenían ciertas características de vida urbana. Pero la presencia de los apellidos europeos se ralea en las compañías, y comienza la hegemonía de los Martínez, González, López, Mendieta, Giménez, Rodríguez y Ramírez.

EL BILINGÜISMO: ¿UN CUENTO?

A todos los anteriores elementos de juicio añadamos el guaraní, idioma nacional, medio de comunicación y socialización por excelencia. Hasta hoy, según lo revelan los censos, buena parte de la población habla exclusivamente guaraní. Lengua ágrafa por excelencia, sus hablantes transmiten oralmente su literatura. El censo de 1982 reveló que el 40% de nuestros conciudadanos habla solamente guaraní. Son, en resumen, monolingües.

El castellano, vehículo de comunicación con la cultura universal, es un idioma extranjero, casi totalmente ininteligible.

Sólo más de la mitad de los paraguayos habla español (55%), aunque el censo no explica muy claramente cuántos de ellos, en realidad, se limitan a "hachearlo". Para buena parte de este sector, el "**jopará**" (mezcolanza de guaraní y español) es, en realidad, el medio de comunicación principal. Nuestro pretendido status bilingüista, tantas veces proclamado, se ve así prolijamente demolido por los hechos.

"Es sabido —dice Meliá— que el bilingüismo sólo comprende a una parte de los paraguayos. **El Paraguay es bilingüe**, pero pocos paraguayos son bilingües; más aún, como veremos, **tal vez nadie es realmente bilingüe en el Paraguay**. El bilingüismo claramente social del Paraguay se puede caracterizar también como bilingüismo rural urbano. Porque, aunque es verdad que también en Asunción se habla guaraní, es cada día más clara la tendencia que muestran las concentraciones urbanas hacia el monolingüismo español mientras en el campo la proporción de monolingües en guaraní alcanza un índice elevadísimo" (12).

ECONOMIA DE AUTOABASTECIMIENTO

Agreguemos las modalidades del asentamiento y la explotación económica que se establecen según patrones determinados. Releamos, por ejemplo, el sugerente ensayo "El valle y la loma" de Ramiro Domínguez, para atisbar cómo se han organizado los paraguayos, desde la época colonial, en una estructura que, sin ser totalmente cristalizada, ha supervivido hasta nuestros días. En las comunidades asentadas históricamente en los valles de la región Central, es donde se encuentran más fuertemente conservados los rasgos propios de la cultura paraguaya.

"**La economía de autoabastecimiento** —dice Domínguez— con escaso margen de producción para la venta, el sistema de 'minga' y pastaje en los campos comunales, las devociones y doctrinas de 'capilla', con sus 'ara santo'guasu' (Navidad, Semana Santa, Corpus, etc), los 'sábado ka'aru con sus carreras y partidos' (de futbol), las faenas del 'avati ñembiso' (molienda evolución de maíz a mortero, hoy desplazada por el molino de mano), el 'takuare'ẽ jepiro' (corte de caña dulce), mandyju petỹ ñemono'õ (cosechas de tiempo fijo) dan al grupo 'valle' **carac-**

teres marcadamente comunitarios, acentuados por diversos tipos de asociación; por compadrazgo y vínculos de sangre, por 'correli' o vínculo político, por 'iru' o relaciones recreativas, de trabajo (patrón, ta'yra), religiosas ('capillero', hermano franciscano) o delictivas (kompi)" (13).

LA EXPERIENCIA HISTORICA

A todo lo anterior se agregaron circunstancias históricas muy especiales, que contribuyeron a acentuar el perfil insular del paraguayo hasta el punto de desarrollar casi un complejo de nación perseguida. España significaba la opresión. Buenos Aires, capital del Virreinato del Río de la Plata, significaba la explotación a través de una infinidad de gabelas y telarañas burocráticas. Todo esto, con el telón de fondo de la confusa y no siempre bien comprendida Revolución Comunera, que abarcó buena parte del siglo XVIII. Las fuerzas del Virreynato sofocaron después la sublevación a sangre y fuego.

Para complicar las cosas, todo el Paraguay vivió durante la colonia y hasta avanzado el siglo XIX, bajo la presión de los temidos malones Mbayá Guaikurú, indómitos indígenas pámpidos, que habían domesticado el caballo y desarrollado un feroz "ethos" depredador. Todavía hoy se emplean la palabra "guaikurú" para apostrofar a quien tiene modales inciviles, y la expresión "trato payaguá", para definir un acuerdo en el que las partes no ponen sinceridad. Las fiestas del "kambá ra'angá" evocan estas sangrientas guerras coloniales.

Vinieron después dos guerras internacionales, que dejaron hondas huellas en el espíritu del pueblo. No debemos soslayar de este repaso la azarosa vida política, con sus inacabables querellas no pocas veces rubricadas con sangre y con su fuerte contenido de irracionalidad. La guerra civil de 1947 debe ser, entre todas las contiendas intestinas, la que más intensamente influyó en las características de los modos de relacionamiento no sólo políticos sino hasta sociales y económicos.

LA BUSQUEDA DEL HUESO PERDIDO

Van surgiendo así los elementos de una identidad que se va formando en la historia, una identidad que no es inmutable ni "eterna", pero que puede ser señalada como un fenómeno relativamente estable a través del tiempo. Todos estos rasgos, interdependientes, constituyen pretextos que autorizan ensayos pretensiosos como este y permiten reflexionar sin ton ni son sobre algunas de las claves de lo que, con acierto, se ha dado en llamar "la isla sin mar". O, más precisamente, la "isla rodeada de tierra".

¿Isla sin mar? Puede ser. Insularidad geográfica, económica, lingüística, histórica, cultural, política. Característica especial formada a lo largo de siglos y trabajada por acontecimientos de toda clase. Todos ellos, pacientemente, fueron modelando el indeciso huesecillo que Rengger no pudo encontrar pese a la insistencia del Supremo, pero que se encuentra oculto en algún profundo repliegue de nuestro cuerpo.

Que no tengamos una cultura estrictamente autóctona no es algo que debiera apenarnos. "Para bien y para mal —nos recuerda Ernesto Sábato—, no hay pueblos platónicamente puros"(14). El nuestro no tiene por qué serlo. El tenebroso Kostia ya apuntó, hace cuarenta años, los inconvenientes prácticos de un nacionalismo a ultranza tomado al pie de la letra. Se refería a una corriente en boga entonces, en la que no faltaba cierto inoculado toque de xenofobia. Una de las consecuencias sería, —aseguraba el humorista con tono quejumbroso— la proscripción del papel higiénico en homenaje al rugoso pero nativista "avati ygue".

Con esa convicción, aceptemos la idea de que el mestizaje, la vida rural, la pobreza, el aislamiento geográfico, el idioma guaraní y ciertas contingencias históricas contribuyeron a modelar una cultura nacional, signada por una terca individualidad. Un perfil que pervive a través del tiempo, pero que también cambia, porque se encuentra dentro de la corriente del tiempo. Y porque, para nuestra suerte o para nuestro castigo, no hay pueblos que permanezcan idénticos a sí mismos a través de los siglos.

NOTAS

1. Muñoz, Félix. **Cómo somos los paraguayos: el extraño y misterioso origen de las costumbres de los pueblos por medio del estudio de los grupos sanguíneos**, segunda edición, p. 127.
2. Id. id.
3. Domínguez, Ramiro. Creencias populares en el contexto de la religiosidad paraguaya" en **La religiosidad popular paraguaya. Aproximación a los valores del pueblo**, por varios autores, ediciones Loyola, Asunción, 1981, p. 18.
4. Bray, Arturo. **Armas y letras. Memorias**, t.I, ediciones NAPA, Asunción,1981, p.108.
5. Rengger, J.R. "Ensayo histórico sobre la revolución en el Paraguay" en **El doctor Francia, por Rengger/Carlyle/ Demersay**, El lector, Asunción, 1982, p. 165.
6. Bermejo, Ildefonso. **Vida paraguaya en tiempos del viejo López**, EUDEBA, Buenos Aires, 1983, P. 78.
7. Quevedo, Roberto. **Paraguay, años 1671 a 1682**, El lector, Asunción, 1983, p. 169.
8. Azara, Félix de. Ob. cit. p. 279.
9. Quevedo, ob. cit. p. 31
10. Nicolás del Techo, Bartolomé Ximénez, Martín Dobrizhoffer. **Tres encuentros con América**. Asunción, editorial del Centenario, 1967, p. 40.
11. González, Natalicio. **Ideología americana**, Cuadernos republicanos, Asunción, 1984, p. 96.
12. Meliá, Bartomeu. **Una nación: dos culturas**, RP Ediciones, Asunción, 1988, p. 45.
13. Domínguez, Ramiro. **El valle y la loma**, Emasa, Asunción, 1966, p. 39.

VII

AQUI SE COMPRUEBA UNA VEZ MAS QUE NO ES ORO TODO LO QUE RELUCE Y ES MEJOR CONFIAR EN UNA PLUMA DE KAVURE'I

VII

¿Qué queda en pie de todo el anterior recuento de curiosidades? Una primera actitud sería un prudente repudio a toda esa galería de alarmantes advertencias, desconcertantes callejones sin salida y gruesos despropósitos. El lector desprevenido podría descalificar todo lo dicho como una desdeñable relación de fantasías. Pero tal vez incurriría en una precipitación. Al fin de cuentas, uno nunca sabe cuando lo fantástico no es sino el colorido disfraz de la realidad.

"Lo fantástico —dice Sábato— es la palabra con que designamos lo insólito. Por eso se aplica continuamente en los viajes y en la historia del pensamiento. No es que designe cosas de contenido mágico: simplemente designa **otras cosas**"(1). Estudiar al Paraguay "teete" podría llevarnos muy dentro del territorio donde abundan esas **otras** cosas. En esa región las categorías a las que estamos acostumbrados, asediadas por la razón, pueden sentirse incómodas.

El problema no es nuevo. En el siglo XVI, los españoles llegaron a lo que hoy es nuestro territorio buscando ciudades pavimentadas de oro. Alvar Núñez Cabeza de Vaca, adelantado del Río de la Plata, estaba convencido de que tales sitios existían en alguna parte y no se cansó de buscarlos. Y conste que ya anduvo vagando sin éxito por las marismas de la Florida, detrás de un sueño parecido e igualmente imposible: el manantial que le daría la juventud eterna, con sólo beber un sorbo.

Estas fantasías, por lo que se ve, eran importadas, productos de la imaginación europea. Claro, después los europeos las condenaron como ridiculeces, pero para ello tuvieron que esperar varios siglos. No olvidemos que la imaginería medieval abundaba en cosas estrafalarias, como aquel árbol que en vez de dar frutos entregaba chorizos. Crecía en el país de Jauja, si la memoria no me miente, pero nadie pudo encontrar jamás ese árbol que hubiera sepultado la próspera industria del chacinado.

107

Los indígenas que poblaban estas comarcas eran sacudidos esporádicamente por terribles delirios colectivos. Convocados por sus shamanes, se agolpaban en las sendas que llevaban hacia el Este, donde estaba la Tierra-Sin-Mal ("yvy marane'ỹ"), en una isla en cuyo centro, como un ojo inmóvil, brillaba una mansa laguna. Quien llegase a ese sitio estaría libre para siempre del acecho de la enfermedad, el hambre y la muerte. Las flechas partirían solas de cacería; ellas mismas elegirían los venados de carne más tierna, para clavarse con infalible puntería. Los frutos se agolparían en los canastos sin mediación de mano humana alguna. Sería inagotable el "kaguy", la cerveza de maíz fermentada con la saliva de las mujeres núbiles.

DISCURSO SOBRE LAS COSAS

¿Por qué no tenemos derecho a fantasear un poco en este tiempo? Nuestros antepasados, en ambas vertientes, no tuvieron ningún empacho en hacerlo, de modo que no tenemos por qué dejarnos amilanar por los remilgos de los escépticos. Para consuelo de ellos, confesaré que no tengo ninguna convicción inexpugnable sobre lo que proponen estas páginas apresuradas. No hará falta que me hagan cosquillas con la picana eléctrica ni que me obliguen a zambullirme en aguas pútridas, "para averiguaciones". Soy el primero en sospechar que el Paraguay que estas páginas describen no existe en ninguna parte; que es sólo un vago inquilino de la memoria, ese archivo infiel donde se amontonan desordenadamente signos dispersos, recuerdos desordenados, colores y voces deformados por el tiempo.

Como lo intuyó Calvino —no el tedioso, ascético y malhumorado fundador de la religión de los "santos visibles", sino el alegre y desenfadado escritor italiano de esta época—, tal vez la mentira no esté en este discurso, sino en las cosas abordadas por él. ¿Quién sabe? Tal vez, más sabios que yo, hombres de sólido talento eludieron este tema porque presintieron lo mismo y optaron por el prudente silencio. Prefirieron no insultar a la inteligencia de los demás, arrojándoles un diluvio de refutables mentiras o de famélicas medias verdades cuya única entidad real es el texto que las contiene.

Una certidumbre parecida habita en el laberíntico texto de "Yo, el Supremo", de Roa Bastos. Su complejo personaje llega, en uno de sus somnolientos circunloquios, a esta desoladora conclusión: **"Escribir no significa convertir lo real en palabras sino hacer que la palabra sea real.** Lo irreal sólo está en el mal uso de la palabra en el mal uso de la escritura"(2).

¿Dónde está la verdad y dónde la mentira? ¿En las cosas o en las palabras que las describen? ¿O en ninguna parte? ¿Cuáles son los límites entre lo real y lo fantástico? ¿Existen, en realidad, esos límites o son simples fronteras grises, de imposible precisión? ¿Es lícito establecer una implacable dicotomía entre ambos dominios?

Estas interrogaciones llenan bibliotecas inmensas y contestarlas escapa a las posibilidades de este ensayo. Además, hay tantas cosas increíbles en nuestro tiempo que las que aquí están resumidas no deben asombrar a nadie. Se dice, por ejemplo, que el universo se está expandiendo como un globo o como una torta repleta de levadura. Se asegura que si se avanza con la velocidad de la luz, se retrocede en el tiempo de manera que, al regresar de un viaje interestelar, podremos cortejar a las biznietas —que todavía no habían nacido en el momento de partir— de personas que ahora toman leche del biberón. Y sin que nuestros cabellos estén entonces humillados por una sola cana.

¿No es fantástico todo eso? Todo el problema consiste en creer, en tener fe; la fe simple del carbonero o del vendedor de lotería. Si tales cosas son aceptadas gravemente por los sabios, ¿por qué no convenir en que pueden ser reales los seres extraordinarios, como los onocentauros y los morlocks? ¿Por qué no pueden existir los aparecidos, esporádicos emisarios del más allá? Si hay personas que desaparecen sin dejar rastros, como los que volatilizó el proceso de "reorganización nacional" argentino, no debe asombrar que haya otras que aparezcan con idéntica destreza. Que Aladino se haya convertido en millonario frotando una lámpara vieja suele parecernos un cuento para niños. Pero son numerosos los casos de solemnes desharrapados que se convirtieron en millonarios, de la noche a la mañana, sin tener siquiera una lámpara vieja. Zoncera lo de Aladino.

MAGOS A BAJO COSTO

¿Para qué empantanarnos en los textos surrealistas en la búsqueda de hechos fantásticos? Bastaría con pasearse por la calle Palma en cualquier soleada mañana sabatina y escuchar el alborotado parloteo de los chismosos para enterarse de sucesos extraordinarios. Alejo Carpentier quedaría con la boca abierta; comprobaría que no estaba tan descolocado su análisis de lo "real maravilloso", como categoría rutinaria en América Latina.

"Muchos se olvidan, con disfrazarse de magos a bajo costo, que lo maravilloso comienza a serlo de manera inequívoca cuando surge de una inesperada alteración de la realidad (el milagro), de una revelación privilegiada de la realidad, de una iluminación inhabitual o singularmente favorecedora de las inadvertidas riquezas de la realidad, de una ampliación de las escalas y categorías de la realidad, percibidas con particular intensidad en virtud de una exaltación del espíritu que lo conduce a un modo de estado límite" (3).

Por eso, un análisis de la cultura paraguaya y un ensayo de paraguayología estarán siempre rozando lo fantástico. Todos abren los ojos como platos cuando escuchan que la última migración Mbya hacia la Tierra-Sin-Mal ocurrió durante la década de 1940. Pero la misma gente recibe sin emoción el caso de un hombre que llenó de agujeros el valle de Cerro Corá en busca del tesoro del Mariscal López. No hace falta decir que no encontró una sola moneda. Me falta agregar que el buscador en cuestión ejerció una gravitante influencia pública en nuestro país durante el paso de una generación.

Pero esta frenética búsqueda del oro no es un delirio contemporáneo. Ella trajo a los españoles, en tropel, a América. Sus desorbitados anhelos los hizo bautizar a la barrosa "corriente zaina" que desembocaba en el mar con el deslumbrante nombre de Río de la Plata. Lo único dorado que había en las oscuras aguas era, y sigue siendo, el combativo pez que hace las delicias de los pescadores. Y que, por sus deslumbrantes escamas, mereció ser bautizado como "dorado". Flaco consuelo para quienes arriesgaron todo, en su enloquecida navegación hacia las entrañas del continente, en busca de una ruta hacia las moradas del metal precioso.

La magia preside nuestros actos y condiciona nuestra perspectiva de hombres, cosas y circunstancias. Un lapidario **"nda**

huguyi chéve" (no me cae en gracia) es más decisivo que un discurso razonado sobre los defectos de una persona. Una expresión intraducible, pero que quiere decir exactamente lo mismo, tiene aun más precisión: "nai isantoporãi chéve". Los seres humanos se dividen en **santo porã** y **santoro**. Esas virtudes —la simpatía y la antipatía— percibidas intuitivamente, como vagas corrientes magnéticas sin someterlas a la prueba de los hechos, determinan la actitud que se tendrá hacia ellos. Recibir la calificación de "santoró", es como ser sepultado bajo una lápida de hierro. Todo esfuerzo por modificar esa etiqueta sólo contribuirá a hundir más al individuo en el fango del total descrédito.

QUE FLUYA LO MARAVILLOSO

De ahí la proliferación de adivinadores, arúspices, manosantas, sibilas, pitonisas, "prueberas" (o mejor, "preberas", o especialistas en adivinar el futuro en las barajas españolas), payeseros, saltimbanquis, mentalistas, magos, prestidigitadores, tragasables y encantadores de serpientes que inundan el Paraguay. Son habitantes de un mundo mágico que coexiste con el mundo real, dentro de las fronteras de un único país.

No hace falta una búsqueda tan fatigosa para encontrarse con estos prodigios. Anotemos algunos, recogidos al pasar, y sinónimo de penetrar más profundamente en el tema: el Paraguay no produce café pero las prosaicas estadísticas de la Unión Internacional del Café lo describen como un voluminoso exportador del aromático producto; las leyes prohíben la exportación de pieles de animales silvestres, pero el Banco Central registra las exportaciones con reiterativa puntillosidad; hay individuos que apenas podrían expresarse por señas, gruñidos o balbuceos, pero son periódicamente invitados a dar conferencias sobre abstrusos temas de doctrina ante auditorios que los aplauden, emocionados hasta el sollozo. Hay funcionarios públicos con salarios tan magros que un monje carmelita les arrojaría piadosamente una moneda al pasar, pero nadan en una inexplicable prosperidad. Tal vez encontraron el "plata entierro" que tan infructuosamente buscó nuestro hombre público en Cerro Corá. ¿Para qué seguir?

Por eso, hay que dejar —como hizo Carpentier, en "El reino de este mundo"— "lo maravilloso fluya libremente de una realidad estrictamente seguida en todos sus detalles"(4). Y, mirando el mundo con ojos ingenuos, anotar meticulosamente los sucesos extraordinarios que ocurren ante ellos. Necesitaremos la misma credulidad que gastan los troperos antes de pernoctar. Sentados en cuclillas ante la hoguera furtiva que hiere la noche con una luz temblorosa, compiten contándose alucinantes "sucedidos". Veremos que la magia está más cerca de nosotros de lo que nos imaginamos y que nos acecha más allá del límite impreciso del círculo de luz donde los hombres cotejan sus recuerdos.

FABULAS Y CABULERIAS

El paraguayo fabula sin pausa, permanentemente. Cuando no inventa, se resigna a ser vehículo de los inventos de otros. Su eficacia como difusor de "bolas" es superior a la de las más poderosas cadenas de radio y televisión. No se trata de un acto de mala fe, de puro afán destructivo, ni siquiera del ejercicio de un deporte. Quien fabula o difunde fábulas es el primero en aceptarlas como la más pura expresión de la verdad.

Ya hemos dicho que las "cábulas" y las "cabulerías" presiden muchas acciones. En el trasfondo de un acto humano, en lo que los especialistas en "marketing" denominan "la motivación", intervienen —en el Paraguay— muchos factores. Entre ellos será muy difícil encontrar el cálculo, la previsión, el análisis objetivo, el pausado recuento de los hechos, la fría evaluación de causas y consecuencias, el aburrido esquema de un silogismo.

En el análisis de los actos de los otros, esta situación adquiere características homéricas. Si un vecino enriquece, es porque ha encontrado un "plata entierro" (tesoro enterrado) o porque robó o porque ganó "la grande" en la lotería o porque saqueó a alguien o porque recibió una inesperada herencia. A nadie se le ocurriría explicar la prosperidad repentina de un prójimo como el resultado de algo tan craso y rutinario como el trabajo cotidiano.

Nadie se detiene a pensar que, si se suma todo el oro presuntamente encontrado por suertudos individuos, se tendría una cantidad mayor que la que los españoles saquearon en el Perú.

Dudo mucho que alguien haya encontrado algo más que alguna humilde moneda guardada del saqueo de los aliados durante la Guerra Grande. Pero son numerosos los lugares en que fueron encontrados los grandes recipientes de alfarería en que los guaraníes enterraban a sus muertos: fueron destrozados y reducidos a polvo para ver si no ocultaban algún objeto de valor. Las almas de aquellos cuya última morada fue objeto de tan inicua profanación se habrán reído, a carcajadas, ante la indignada frustración de los codiciosos.

EL IMPERIO DE LA MAGIA

El azar es gravitante. Pero no un azar gratuito, sino estimulado por tabúes, "cábulas", sueños, oraciones, "ojeos", números determinados, días aciagos o faustos, etcétera. Estas oscuras influencias se extienden a los más variados aspectos de la vida. "**En el Paraguay** —dice Carvalho Neto— **las poblaciones folklóricas viven bajo el imperio de la magia, del pensamiento prelógico mágico levybruhliano, del pensamiento autístico de Bleuler, de la 'omnipotencia de las ideas' freudiana**" (5).

En un documentado capítulo de su obra sobre el folclore paraguayo, Carvalho Neto ofrece un resumen de las distintas modalidades que asume ese universo mágico bajo el cual vivimos. La lista que ofrece el autor es muy larga. Y conste que fue confeccionada sólo de manera demostrativa, casi improvisada, como una suerte de desafío a profundizar en esta senda sugerente.

Ramiro Domínguez, en un breve pero penetrante ensayo sobre las creencias populares en el contexto de la religiosidad paraguaya, concluye que el campesino actual se debate entre los universos cristiano y guaraní. En la frontera entre ambos surgen diversas formas de hibridismo y de sincretismo. "**Muy asido a las formas culturales de su profesión de fe cristiana y más atado al pensamiento mágico y al código atávico del 'ava' guaraní**'; quemando una vela al santo mientras deja su tributo de ofrenda a "karai pyhare" (el señor de la noche). Cumpliendo piadosas promesas y 'rogativas' mientras por esquema de refuerzo apela a todas las formas de "paje", "jeharu", "kurundu", "ojeo" o "tupichua" (distintas alusiones a hechizos y rituales" (6).

Una pluma de "kavure'i" es mucho más eficiente para ciertos trámites amorosos que el asedio mejor organizado. Esto tiene su explicación. Cadogan explica que una lechuza, ("urukure'a") perteneciente a la familia del "kavure'i", surgió del caos simultáneamente con Ñamandú, cuando este descendió al jardín del Edén para engendrar al futuro padre de la raza. En otros grupos guaraníes, este pájaro fue el primero creado por el dios sol. De modo que es para tomarlo muy en serio.

GALERIA DE "ABOGADOS"

¿Cuánto hay de racionalismo en la cultura paraguaya? Vaya uno a saber. Con toda seguridad debe ser muy poco, apenas una leve capa de barniz. En cambio los aspectos mágicos son constantes y, al parecer, muy firmes. Ellos están presentes en todos los momentos de la vida, desde el nacimiento hasta la muerte, muchas veces bajo el ropaje o en contubernio con ritos más o menos religiosos. Desde el ataúd blanco del angelito que irá directamente al cielo —algunos de cuyos dedos pueden ser guardados como poderosos amuletos— hasta el vaso de agua que se coloca bajo el ataúd de un adulto, para que este no tenga sed en su viaje a la eternidad. O la precaución de que el cadáver quepa justo dentro de la caja, porque de lo contrario arrastrará muy pronto a otro miembro de la familia.

Para fiscalizar todos estos actos, allí están, circunspectos y temibles, numerosos personajes de respeto. Entre ellos, el esquelético San La Muerte o Señor de la Buena Muerte, con sus atravesadas oraciones, ejerciendo hasta hoy su influencia subterránea. O San Cayetano, patrono de los negocios y buen "abogado" para hacerse rico. O Santa Rita, patrona de lo imposible, que exige oraciones, con voracidad incontenible, para resolver problemas abstrusos. O San Alejo, gran cooperador de los hombres en sus conquistas amorosas. O San Onofre, paternal patrono de los borrachines, ayudándoles a no partirse el alma en el zigzagueante retorno a casa después de medianoche. O San Patricio, abogado contra la picadura de serpientes —enemigo de los fabricantes de antiofídicos—, a quien debe cantársele con acompañamiento de guitarra. O el casamentero y alcahuete San

Antonio, especialista en arrojar garfios para atrapar a remolones y calientasillas contumaces. Todos son "abogados" y sus alegatos suelen ser infalibles.

Muchas fiestas populares —entre ellas las de San Juan, con su neolítico ritual del fuego— rubrican esta arraigada forma de pensar y de sentir. Hasta el más racional de los ciudadanos no titubeará en atravesar orondamente una alfombra de carbones encendidos sin que siquiera se le caliente el dedo gordo del pie. O el estruendo infernal de petardos de los días de Navidad y Año Nuevo o el que se arma para acompañar el gol del equipo de nuestros amores; costumbre milenaria que tiene, en el subconsciente, el mismo propósito que tenía en la antigüedad: ahuyentar a los malos espíritus y convocar a la buena suerte.

CULTURA SHAMANICA Y MAGICA

¿Se quiere algo más? Llamemos a la teología en nuestro auxilio. El padre Antonio González Dorado (S.J.) nos explica que la cultura paraguaya es **"una cultura shamánica y mágica, como la de los antiguos guaraníes.** Entre los datos que vienen a confirmar esta afirmación sobresale la pervivencia del 'paje' y de **un cierto mesianismo** que pone su esperanza en el caudillismo. Lo mismo se manifiesta en el curanderismo y en algunas manifestaciones de la religiosidad popular" (7).

El padre González Dorado se refiere, en su ensayo, a la cultura popular, naturalmente. ¿Pero cuáles son los límites de esa cultura popular? La historia paraguaya no registra ningún patriciado excluyente que haya desarrollado una cultura elitista, diferenciada nítidamente de aquella. Por consiguiente, la cultura popular abarca a casi todo el pueblo paraguayo. Insular, pobre e indocto, encerrado en sus "valles", alejado del estrépito de las querellas que sacuden al mundo, comunicándose principalmente en un idioma nativo, el paraguayo logró cubrir con su cultura a casi todos los grupos de inmigrantes. Si bien existen islas culturales —colonias menonitas, japonesas y alemanas— ellas no han sido impermeables a la influencia de la cultura paraguaya. No es extraño que los colonos europeos se expresen mejor en guaraní que en castellano y no vacilen en interrumpir sus más intensos quehaceres para sumergirse en una alegre y chismorreada rueda de "tereré".

NOTAS

1. Sábato, Jorge. **Uno y el infinito,** edición definitiva, editorial Sudamericana, colección Indice, Buenos Aires, 1968, p. 61.
2. Roa Bastos, Augusto. **Yo, el Supremo,** siglo XXI Argentina Editores S.A., Buenos Aires, 1974, p. 67.
3. Carpentier, Alejo, **El reino de este mundo,** Arca Editorial S.A., Montevideo, 1969, p. 9.
4. Id. p. 12.
5. Carvalho Neto, Paulo de. **Folklore del Paraguay.** Sistemática analítica, editorial Universitaria, Quito, 1961, p., 215.
6. Domínguez, Ramiro. "Creencias populares en el contexto de la religiosidad paraguaya", en **La religiosidad popular paraguaya. Aproximación a los valores del pueblo,** recopilación de ponencias al III Seminario de Historia sobre la religiosidad popular paraguaya (Asunción, 21 al 25 de julio de 1980), ediciones Loyola, Asunción, 1981, p. 16.
7. González Dorado, Antonio (S.J.). "La evangelización en el presente de la cultura paraguaya", en **El hombre paraguayo en su cultura, VII semana social paraguaya,** cuadernos de pastoral social de la Conferencia Episcopal Paraguaya, Asunción, sin año de edición, p. 43.

116

VIII

EN DONDE UNA RUEDA NO CESA DE GIRAR Y HAY TIEMPO DE TOMAR UN BAÑO DE LUNA

EL RIO Y LA INFLUENCIA LUNAR

Al comenzar este ensayo había prometido ofrecer un bosquejo, a vuelo de dirigible o de mariposa, de la paraguayología. Al llegar a esta parte, me ronda la sospecha de que son más las preguntas que las dubitativas respuestas anotadas en este trabajo. La curiosidad del etnógrafo y la puntillosidad del espía debieran presidir —lo acepto sin discutir— un emprendimiento semejante. Pero carezco de tales virtudes.

¿Cómo encerrar en un escueto código —mezcla de ley de las XII Tablas, Código de Manú y Código de Hammurabi— las leyes que rigen las actitudes y la conducta cotidiana del paraguayo? La tarea resulta superior a mis fuerzas y a mi buena voluntad que, de suyo, es paupérrima. No obstante, dejaré constancia de algunas presunciones gratuitas sobre la cosmovisión de "la raza", del "pila", de "lo mitã". O de "los perros", si se quiere un término de origen más reciente, que ha logrado un sorprendente consenso.

La manera en que un pueblo concibe el devenir puede entregarnos una confiable pista para atisbar las profundidades de su alma. Para los pueblo primitivos, la cuestión era resuelta mediante **el mito**, primera concepción del mundo y de la vida que registra la historia del hombre; primera cosmovisión propia de los pueblos primitivos, como postula Adolfo Bastián. Con respecto al devenir, la filosofía clásica propone dos concepciones opuestas y fundamentales: la concepción de Parménides, que niega el devenir, y la de Heráclito, que hace de él el centro de su sistema. Sus escandalosas controversias llenan siglos de toda la historia del pensamiento.

UN MITO DEMENCIAL

¿Tiene el paraguayo una cosmovisión peculiar, que incluye como parte medular una concepción del devenir? Barrunto, con la intuición del espía aficionado, que sí la tiene. Propongo una hipótesis inicial, aunque ella no sirva sino para provocar la reflexión: de manera intuitiva, sin constituir un sistema, sin un eje central que la justifique, sin un texto capital, esa concepción es la del **Eterno Retorno.**

Se trata de una visión del tiempo antiquísima, anterior a toda reflexión filosófica como la que produjeron Parménides o Heráclito. Tema recurrente en las culturas arcaicas, es impugnado como un "mito demencial" (1) por Milán Kundera. Pero el Eterno Retorno nos conduce a inferir una "cierta perspectiva desde la cual las cosas aparecen de un modo distinto de como las conocemos: aparecen **sin la circunstancia atenuante de su fugacidad.** Esta circunstancia atenuante es la que nos impide pronunciar condena alguna. ¿Cómo es posible condenar algo fugaz?"(2).

Kundera aporta una serie de ideas que nos llevarán a ver este mito como algo realmente inquietante. Repasemos una de sus conclusiones, en una corta digresión que tiene el propósito de contemplar esta doctrina cíclica con las debidas reservas: que alguien sea un imbécil es una futeza en la historia de la humanidad porque habrá mil ocasiones para corregir u olvidar sus imbecilidades. Pero si ese imbécil, en virtud del mito del Eterno Retorno, se repite cíclicamente a lo largo de un tiempo que se regenera periódicamente, entonces será absolutamente insoportable.

"EL MUNDO ES UNA RUEDA..."

Tratemos de ir más lejos. No estamos aquí dentro del abstruso sistema de Hegel. Ni siquiera dentro de la visión poética de Heráclito con su controversial doctrina del doble baño en el mismo río; o del doble o quizá múltiple río para un único e inacabable baño; confusa aseveración para una época en la que no existía el agua corriente y el baño era una excentricidad de despreciables pueblos bárbaros.

La concepción paraguaya reconoce —ya lo hemos dicho— otra filiación, que tiene cierto parentesco con la doctrina de Vico, con su inacabable "corsi e ricorsi". Esta visión del devenir, como parte de la naturaleza de la sociedad, puede ser definida con este aforismo popular: "**El mundo es una rueda, ojeréva mbeguekatu**" (el mundo es una rueda que gira lentamente). En este instrumento, agotadoramente circular, cada uno de sus puntos debe dar una vuelta completa para volver después al punto de partida, donde comenzará de nuevo otro ciclo exactamente igual al anterior.

Esta rueda no sólo recorre el Paraguay. Se nota su huella, un nítido y largo rectángulo, atravesando muchos países. Lo testimonia ese gaucho desertor de la milicia que andaba de pulpería en pulpería con su guitarra a cuestas, siempre huyendo de la Policía. Comprobémoslo en Carlos Astrada: "La concepción mítica de las culturas americanas, con su idea básica del movimiento cíclico y el retorno, ha influido e influye en la literatura latinoamericana. Así, en nuestro 'Martín Fierro' donde se dice que **el tiempo es una rueda - y rueda eternidá**. ¿De dónde proviene esa idea? Ciertamente, más que en su posiblemente remota extracción cultural, debemos pensar en su más inmediato hontanar telúrico" (3).

Roa Bastos, en una de las crípticas reflexiones del Supremo, deja caer en su "cuaderno privado" estas sugestivas palabras sobre el tiempo: "Nos vamos deslizando en un tiempo que rueda también sobre una llanta rota. Los dos carruajes ruedan juntos a la inversa. La mitad hacia adelante, la mitad hacia atrás"(4). La rueda reaparece, pero el escritor, que sabe de su existencia, la destruye en un rapto de ira, para negarle su función circular y, por ende, su conocido simbolismo.

La palabra "mundo" no alude a la realidad cósmica, materia reservada a la sapiencia de los astrónomos, esos individuos cegatones de copiosa paciencia, fatigados bajo el peso de sus enormes telescopios. Materia también propia de los astrólogos, primos hermanos de aquellos, enigmáticos individuos inclinados sobre sus cartas astrales. En ellas, mediante las combinaciones y alejamientos de los astros, podemos atisbar la miseria y la fortuna, los amores despechados y la llegada de inesperados viajeros.

En el aforismo paraguayo ya mencionado, el "mundo" es la sociedad, la vida humana organizada. Este "mundo" es, en realidad, la vida humana capturada por la redonda estructura giratoria de la calesita. Las cosas que fueron volverán a ser; se escucharán las mismas voces, sonarán las mismas canciones; las mismas pisadas volverán a ser impresas sobre el mismo suelo. "De nuevo cada espada y cada héroe, de nuevo cada minuciosa noche de insomnio" (5) postula Borges, desvelado explorador de estos laberintos del tiempo y del espacio.

NO HAY NADA NUEVO BAJO EL SOL

Esta idea se encuentra en las raíces remotas del espíritu humano. Releamos el "Eclesiastés", la voz milenaria de un pueblo que construyó buena parte de los cimientos de nuestra civilización. "¿Qué es lo que fué? Lo mismo que será. ¿Qué es lo que ha sido hecho? Lo mismo que se hará ; y nada hay nuevo bajo el sol. ¿Hay algo de que se pueda decir: He aquí esto que es nuevo? Ya fue en los siglos que nos han precedido. **Aquello que fué, ya es: y lo que ha de ser, fue ya**".

Para el paraguayo, la sociedad no es un organismo estático, petrificado, cerrado a todo cambio. La rige un dinamismo esencial, con un influjo pausado pero sostenido. Lo sobresaltan a veces ruidosas crisis, pero que no aciertan a modificar su naturaleza. Las esporádicas sacudidas no alteran lo fundamental; acaso sólo lo confirman. No es que se nieguen los bochinches dentro del devenir sino que carecen del carácter decisivo que tienen en otras culturas. La concepción del progreso, elaborada por el Iluminismo, con su perspectiva de la historia como una línea constante y ascendente, está muy lejos del "karaku" de la cultura nacional. Lo sabía el gruñón Cecilio Báez cuando contempló, desde el Palacio de López, el rancherío de la Chacarita. Allí, se habían realizado varias quemazones de ranchos para prevenir la expansión de una epidemia. La peste ya había hecho estragos en otros países del continente y causaba pavor a los paraguayos, que ya se veían exterminados como hormigas. Pero la cosa no pasó a mayores; el número de decesos estuvo muy debajo de las temerosas expectativas. Cecilio Báez sentenció: "En este país ni siquiera la peste puede progresar". Inconscientemente, estaba repitiendo la esencia de nuestra concepción arcaica de la historia, contraria a la del Iluminismo, con su mística del progreso eterno.

UN PETISO CHARLATAN

Un enano charlatán nos propone un breve resumen complementario de la doctrina en "Así habló Zarathustra": "Todo lo recto miente... toda verdad es sinuosa; el tiempo mismo es un círculo"(6). En otro pasaje de la misma obra leemos: "Todo va, todo vuelve, la rueda de la existencia [otra vez la rueda] gira eternamente. Todo muere; todo vuelve a florecer; eternamente corren las estaciones de la existencia. Todo se destruye, todo se reconstruye; eternamente se edifica la casa de la existencia. Todo se separa, todo se saluda de nuevo; el anillo de la existencia se conserva eternamente fiel a sí mismo."(7).

La rueda, por lo que hemos visto, se halla indisolublemente vinculada con la visión cíclica del tiempo humano, creencia que, según Mircea Eliade, el gran historiador de las religiones, es típica de las sociedades arcaicas. Acceder a la modernidad supondría romper el círculo vicioso del retorno y adquirir el sentido de la historia lineal; la segura comprensión —o la superstición— de que todo hecho pasado es irreversible.

No necesitaré reiterar que la creencia popular paraguaya no tiene nada que ver con un complejo y armonioso edificio de categorías y conceptos extraídos de un obeso tratado de Filosofía de la Historia o de la Antropología Filosófica. Se trata de una visión arcaica del mundo, de la sociedad y de la vida, que tuvo tiempo de decantarse durante siglos. Ella pervive en el subconciente colectivo a despecho del barniz de cristianismo y de cultura occidental.

La doctrina cristiana significa reorientar todo el devenir del hombre. Hay un solo origen del mundo, en una sola y productiva semana. Hay una sola pareja primigenia y un solo Paraíso Terrenal y un solo fruto del árbol prohibido y un solo mordisco imprudente. Y así sucesivamente. Cristo se muere, pero lo hace una sola vez, para redimir, con su sacrificio, a todo el género humano. Su omnisciencia le permite rechazar la abominable idea de tener que soportar en cada ciclo la traición de Judas, las preguntas impertinentes de Poncio Pilatos, los latigazos, la corona de espinas, las intolerables vociferaciones de la multitud. Habrá un único e inexorable Juicio Final. "Jesús es la via recta que nos permite huir del laberinto circular de tales engaños"(8).

EL RIO Y LA INFLUENCIA LUNAR

La naturaleza provee abrumadoras pruebas de la visión cíclica. El río Paraguay, líquida columna vertebral de mi país, altera periódicamente, con sus inundaciones, la vida de toda la población. Hay meses de creciente y meses de estiaje, que regulan el acaecer humano en todas las poblaciones costeras. Hay un tiempo de abandonar todo ante el avance de las aguas y hay un tiempo de retornar al hogar, a reconstruir pacientemente todo lo que éstas carcomieron.

La pausada rutina de Sísifo preside la vida a lo largo de la ribera del río y aún de quienes se encuentran mucho más lejos, a espaldas de los pobladores de esta región. Durante los meses de creciente, el agua se extiende a varios kilómetros a los costados del cauce, como una barrosa y lenta película. Después, las aguas bajarán y el río volverá a ser una amigable fuente de vida; hasta la pesca retornará a entregar su diario sustento.

La luna, con su cambiante rostro, se halla también fuertemente asociada a la idea del Eterno Retorno. En el Paraguay, ella rige meticulosamente las actividades en los más diversos campos. En la agricultura, en la ganadería y hasta en la actividad forestal, los ciclos lunares marcan las pautas a las que deben ajustarse las actividades de los hombres.

Varios productos agrícolas son plantados o recolectados sólo bajo determinadas lunas. Obviemos los de origen foráneo, que pueden escapar a esta regla, como, por ejemplo, la vid, que debe plantarse exclusivamente el día de Santa Ana. Pero, aparte de estas excepciones, los dominios de la luna son muy estrictos y castigan toda transgresión con el vergonzoso fracaso.

León Cadogan anota que "los Mbya dicen que el maíz sembrado durante la luna nueva no prospera. Los cogollos de dicho maíz, al achatarse (endurecerse), son atacados por las orugas. Pero, aunque produjere granos, serán atacados prematuramente por los gorgojos. Debido a estos hechos fue dispuesto por los dioses que el maíz se sembrará únicamente en el intervalo entre las lunas (yachy pa'ŭme)"(9).

La cosecha de maíz se levanta con frecuencia durante el cuarto menguante, explica Cadogan. Las ramas de mandioca -y de batata- deben plantarse en el cuarto creciente; con ello se evita la producción de tubérculos fibrosos. La actividad yerbatera también admite la influencia lunar.

La producción forestal también se orienta rígidamente por estos principios. Un tronco debe ser cortado únicamente bajo las condiciones lunares propicias. Sabe el maderero que, si desprecia esta norma, la madera se le pudrirá o se agrietará totalmente hasta hacerse inservible. La palma negra, producto de empleo habitual en la construcción de viviendas rurales, es derribada sólo en estas circunstancias favorables, sin las cuales la podredumbre sería inevitable. El guatambú derribado con luna llena se llenaría de "bichos".

Cadogan anota también que "en forma similar es atacada la madera; las tijeras y enlates para construcciones de casas no deben ser cortados durante el cuarto creciente para evitar que sean atacados por lo insectos. También la paja para techos se infecta si es segada durante la luna nueva: Durante los meses de marzo, abril y mayo, sin embargo, la madera puede ser cortada durante cualquier fase de la luna"(9).

Un empresario maderero me proveyó una explicación que racionaliza esta creencia ancestral. Según este informante calificado, durante ciertas lunas la savia circula con mayor fuerza dentro del tronco. Pero hay épocas en que, debido a la influencia lunar, la savia "baja"; el tronco, despojado de su torrente circulatorio, estará relativamente seco. Por eso, si es derribado en ese momento, podrá quebrarse muy fácilmente.

MALA COMBINACION:
LA LUNA Y EL "NORTE"

El ganadero tampoco es ajeno a esta arraigada creencia. Castrará y marcará sus animales sólo con luna menguante. De lo contrario la marca crecerá y la herida no se sanará fácilmente. Igual cosa ocurrirá con la región donde se produjo la castración. Sólo un imprudente prescindiría del escrupuloso acatamiento a estas normas tan sabias.

Miguel Angel Pangrazio registra estos condicionamientos en una obra de reciente reedición. Observa que la sabiduría popular hace depender muchas actividades de las fases lunares, agrupadas éstas en dos períodos fundamentales: 1) El de la luna alta. 2) El de la luna baja. "La luna alta está considerada mala luna; no se cortan madera, paja, junco, porque se pudren. No se hacen trasplantes de árboles porque se envician, no dan frutos. No se poda la vid, tampoco los árboles, No se siembran semillas de plantas que producen bajo tierra, tubérculos: zanahoria, papa, batata, maní, etcétera. Pero se siembra lo que se cosecha sobre la tierra: sandía, zapallo, etcétera. No se castran animales porque se desangran. Tampoco se marcan animales porque no quedan bien. No se faenan cerdos porque la sangre en esa época está muy húmeda y se echa a perder muy fácilmente".

"Si la luna está rodeada de agua, se pronostica que lloverá todo el mes. Si vino en seca, las lluvias escasearán. Esas creencias vinieron con los conquistadores y algunas de ellas, practicadas por los guaraníes, tuvieron marcado efecto en la vida social y económica del Paraguay. Aún subsiste en muchos lugares la secular tradición. La actividad agrícola está subordinada a los períodos de la luna" (11).

Agreguemos que "estar de luna" significa todavía estar acosado por el malhumor, estado que acomete a los jefes con sorprendente frecuencia y que los subordinados son expertos en adivinar. La influencia lunar en los bajones del humor es sólo disputada por el viento Norte, el cual, según larga e indiscutida tradición, aniquila toda visión amable de las cosas. Es fama que el Supremo, en esos días en que el Norte barría la ciudad con su agobiante peso, era inmune a la clemencia. Las órdenes de fusilamiento se sucedían entonces sin solución de continuidad, según asevera la leyenda negra urdida en torno de la enigmática figura del Supremo.

El propio Rengger acoge esta leyenda, observando que el humor del Dictador cambiaba con el Norte. O mejor, con el Nordeste, que es realmente el viento predominante. "Este viento, muy húmedo y de un calor que ahoga, atrae lluvias repentinas y diarias y hace una impresión molesta en las personas que tienen los nervios movibles o que padecen de obstrucciones en el hígado y en las demás vísceras del bajo vientre. Al contrario, cuando sopla el viento del Sudeste, que es seco y frío, regularmente se halla el Dictador bien dispuesto. Entonces canta, ríe solo y habla de buena gana con las personas que se acercan a él(12)". Era la época —no lo olvidemos— en que todavía no se habían inventado el ventilador ni el aire acondicionado. Sólo las pantallas de "karanda'y" paliaban malamente el agobio de los días sometidos a la influencia del viento Norte.

RITOS RELIGIOSOS Y PAGANOS

La fiesta de San Juan, que se celebra anualmente, tiene abundantes alusiones al fuego sagrado de la época neolítica y coincide con el solsticio de invierno del hemisferio Sur. En ella se rinde culto a la esperanza; desde entonces las noches serán cada vez más cortas y los períodos de luz diurna cada vez más largos. Las "rúas" callejeras, con las antorchas de paja seca, evocan, inconscientemente, este milenario rito. El ciclo se completará con el siguiente solsticio y así hasta la eternidad.

La fiesta del "kamba ra'anga" incluye también claras referencias a esta visión del devenir. Por algo monseñor Juan Sinforiano Bogarín persiguió sistemáticamente a esta festividad, en la que adivinó claros signos paganos. En esta fiesta existían elementos alusivos a las antiguas iniciaciones sexuales y hasta a la reproducción simbólica de la lucha contra el fuego, símbolo de vida, al que se intenta apagar y cuyos defensores protegen.

La tradición, en este caso, es hispánica, como puede inferirse de la lectura de un pasaje del famoso "Pedro de Urdemales" de Miguel de Cervantes: "Nombréme, y ella acudió/ al reclamo, como quien/ del primer nombre que oyó/ de su gusto y de su bien/ indicio claro tomó;/ que la vana hechicería/ que la noche antes del día/ de San Juan usan doncellas,/ hace que se muestren ellas/ de liviana fantasía"(13). El antiguo sentido orgiástico de la festividad, que se infiere de este texto, se ha perdido; tal vez para siempre.

La propia Semana Santa, cuyo objetivo ritual es el de evocar un único y definitivo acontecimiento de la historia de la humanidad, tiene en su versión popular el carácter de reiteración de ese hecho. Cuando el Cristo de cabeza y extremidades articuladas —tal como lo presentan las esculturas de las Misiones Jesuíticas— baja la cabeza, en señal de muerte, estalla una tempestad de lamentaciones. "Se murió Nuestro Señor", gimen los creyentes, sumidos en la desesperación. En ese momento se sienten abandonados por El, que ha sido sacrificado por sus enemigos. La angustia es tal que sólo puede atribuirse a la muerte real de Cristo, mucho más que a su evocación simbólica.

NOTAS

1. Kundera, Milan. **La insoportable levedad del ser**, Tusquets editores, colección andanzas, Buenos Aires, 1987, p.11.
2. Id. p. 12.
3. Astrada, Carlos. **El marxismo y las escatologías**, ediciones Procyon, Buenos Aires, 1957, p. 47
4. Roa Bastos, Augusto. **Yo, el Supremo**, Siglo Veintiuno Argentina editores, S.A., primera edición, junio de 1974, Buenos Aires, 1974, p. 214.
5. Borges, Jorge Luis. **Historia de la eternidad**, Alianza Editorial, Madrid, 1971, p. 86.
6. Nietztche, Federico. **Así hablaba Zarathustra**, traducción al español de Juan Fernández, editorial La España moderna, Madrid, 1915, p. 176.
7. Id. p. 250.
8. Borges, Jorge Luis. **Historia de la Eternidad**, p. 87.
9. Cadogan, León. "Algunos datos para la antropología social paraguaya. En **Suplemento antropológico** de la revista del Ateneo Paraguayo, vol. 2 No. 2 setiembre de 1967, Asunción, p. 454.
10. Id. id.
11. Pangrazio, Miguel Angel.
12. Rengger, ob. cit. p. 178.
13. Cervantes, Miguel de. "Pedro de Urdemales", en **Obras completas de Miguel de Cervantes**, editorial Aguilar, Madrid, 1956, p. 510.

IX

UNA EDAD DE ORO SIN UN COBRE

ACTITUD SIMBÓLICA

Según Mircea Eliade, el objetivo profundo de todos los ritos vinculados con el mito del **Eterno Retorno** es la regeneración del tiempo; en otras palabras, la reconstrucción inconsciente de la Edad de Oro perdida en el pasado. Pero esta reconstrucción es incompatible con la existencia de la memoria histórica, con su abuso de detalles prosaicos, con sus ramplonas cronologías, con sus fatigosas reconstrucciones de sucesos, con sus aburridos personajes de carne y hueso; con sus individuos que, además de pronunciar frases célebres y realizar actos memorables, tienen dolores de muelas, beben, aman y odian y padecen de suegras y de parasitosis. Seres humanos en definitiva. Y, como tales, también capaces de cometer descomunales desaguisados.

La concepción circular del tiempo nos permite darles el esquinazo a todas estas trampas de la realidad y encontrarnos nuevamente, con la ansiedad propia de quien vuelve a ver al primer amor, con la Edad de Oro. Para ello es indispensable suprimir previamente todo lo que pueda entorpecer esta búsqueda obstinada, a través de la cual el paraguayo busca su realización. La memoria histórica, con su impertinente vivisección de hechos y personajes, con su constante llamado a la razón, se opone resueltamente a la persecución de este anhelado encuentro.

LOS TROVADORES DE LA HISTORIA

Por eso el pasado paraguayo no existe como historia sino como leyenda. Por eso no tenemos historiadores sino trovadores, emocionados cantores de epopeyas, lacrimosos guitarreros del pasado. Por eso no tenemos héroes humanos sino estatuas de mármol sin siquiera una pizca de caca que, arrojada desde el aire por un gorrión iconoclasta, pueda macular la blanca superficie.

Algunos dicen que esta actitud constituye un acto deliberado de falseamiento de la verdad, un producto de maligna inspiración, un juego de tahures, una oscura conspiración de imaginativos bribones. No hay tal cosa. Esa manera de presentar el pasado con sus peculiares estructuras —**"categorías en lugar de acontecimientos, arquetipos en vez de personajes históricos"**(1)— es la que corresponde a una sociedad arcaica que todavía no ha emergido a la modernidad.

Por lo demás, no hay motivo para que esto nos asuste ni para que nadie infiera que estamos tratando de impugnar a la patria entera. Al fin de cuentas, no se ha demostrado que la cosmovisión de una sociedad arcaica sea mejor o peor que la de una sociedad moderna. Es sólo **diferente**. No creo que nadie pueda probar que esa cosmovisión merezca ninguna clase de repulsa en nombre de otra, presuntamente "moderna", santificada por tres siglos de racionalismo; un lapso que podemos considerar una chaucha comparada con el peso de milenios del género humano. No hay nada que nos autorice a entronizar en los altares a las computadoras en vez de nuestros adorados arquetipos.

Esa manera de ver las cosas se halla instalada en todas las actividades de nuestro tiempo. Esto explica, naturalmente, el rechazo tenaz de todo intento de reconstruir la memoria histórica del Paraguay, entendida esta, siguiendo a Eliade, como **"recuerdo de acontecimientos que no derivan de ningún arquetipo"**(2). Por eso el pasado paraguayo no existe como historia, o sea como **"sucesión de acontecimientos irreversibles, imprevisibles y de valor autónomo"**(3), sino como un armonioso cantar de gesta, compuesto al compás de laúdes y flautas angelicales, cuyos personajes son tan bondadosos como el Arcángel Gabriel o tan malos como Satanás. Sin términos medios.

Se puede temer que la historia y, desde luego, los historiadores, puedan echar a perder tan majestuoso intento con sus cargosos documentos. Por eso, de una manera inconsciente aunque sistemática, los paraguayos hemos sembrado de trampas el camino de estos conspiradores para defender nuestra antigua y armoniosa perspectiva del devenir. Una patriótica labor de ocultamiento o destrucción de los soportes documentales de la memoria histórica impedirá que tenga éxito esa deleznable empresa, probablemente al servicio del oro extranjero. Ausentes del camino, no constituirán un escollo en la dilatada peregrinación en la búsqueda de nuestra Edad de Oro, la "tierra sin mal" de la cultura paraguaya.

UN INVENTARIO DE ESCOMBROS

Veamos algunos ejemplos que justifiquen esta afirmación. Hace algunos años, el historiador Alfredo Seiferheld realizó una minuciosa lista de los edificios de valor histórico o artístico que ya fueron demolidos en Asunción; desde la antigua Casa de los Gobernadores hasta el templo de San Roque, desde el local de la Imprenta Nacional (Oliva y Alberdi) hasta la sede del Club Nacional, fundado por el mariscal López. Medio siglo antes, Teodosio González realizó un inventario parecido, igualmente desolador. Nadie derramó una lágrima sobre los ilustres escombros.

Por la misma época en que Seiferheld hacía sus anotaciones, el doctor Pusineri Scala se munió, luego de una investigación prolongada, de una colección de fotografías. En ellas -milagro de la imagen- aparecían erguidos muchos edificios que ya fueron convertidos en escombros hace muchas décadas. Otros aún supervivían, por lo menos en el momento en que Pusineri realizaba su pesquisa. Las fotos fueron reunidas para ilustrar conferencias que el coleccionista acostumbraba y aún acostumbra pronunciar. Para cada nueva conferencia, el profesor Pusineri tiene una precaución: se cerciora de que todavía están erguidos.

Con el edificio del actual Palacio Legislativo —fue construido por orden de Carlos Antonio López, para servir de sede al gobierno nacional; allí se celebraron, años después, las sesiones de la Convención Nacional Constituyente de 1870— se hizo algo aún más sorprendente: se le incorporó, en la parte trasera, una mole cuadrada, de bien lograda fealdad. Difícil hubiera sido concebir algo más horrible. Se presenta a la vista como una especie de tumor, furúnculo, ántrax, verruga (kytã) o lunar del edificio cuya construcción ordenó Carlos Antonio López.

LA ICONOGRAFIA DEL DOCTOR ROSS

El Paraguay no cuenta con ninguna iconografía auténtica — salvo un grabado del Supremo— de los próceres de 1811, autores de la emancipación política. Pero la necesidad de libros escolares estimuló a alguien a inventar los retratos de estos varones: Caballero, Yegros, Iturbe y otros. El resultado fue una galería de ceñudos y taciturnos caballeros que inundó los libros escolares. Por alguna razón inexplicable, quizá para infundir pavor a los niños, el autor de dicha colección pintó fisonomías agraviadas por un sello de antigua angustia, como el que aflige el talante de los estreñidos. Anoto esta anécdota porque permite apuntar un hecho sospechoso: para completar la confusión, hace un par de décadas fue creada una nueva serie de retratos, igualmente inventados. Los rostros son totalmente distintos de los anteriores, pero hay que decir en su favor que ostentan un semblante más amable. Con ambas series se podría intentar un brillante aviso comercial de las serviciales píldoras del doctor Ross: antes y después.

Carlos Antonio López, primer Presidente de la República, aparece con un rostro circunspecto en estampillas, billetes de banco y libros escolares. Nadie sabe que esa imagen, con un sospechoso parecido a Sarmiento, fue fabricada por la imaginación de un tenaz fabulador. La genuina cara de Don Carlos, en forma de pera, permanece invisible en la iconografía oficial.

El Mariscal López fue Presidente en una época ya frecuentada por los primeros fotógrafos. Fue difícil, por eso, inventarle una cara nueva. Exasperados ante esta frustración, los fabuladores se consolaron cambiándole el pelo al caballo que montó en Cerro Corá. Lo convirtieron en blanco pese a que, según consta, era un bayo capturado recientemente. Buen jinete, López sabía que el blanco sólo es bueno para los desfiles, porque su pelo es hábitat preferido de todo el bicherío.

EL CODIGO DE LOS LABERINTOS

El Archivo Nacional de Asunción, el más antiguo del Río de la Plata, puede convertir al laberinto borgiano en una diversión de párvulos. Se trata —tengo fundadas sospechas— de una labor de ocultamiento deliberada: su objetivo es desalentar a todo aquel que pretenda curiosear más de la cuenta. Sin clasificación alguna, sin ordenación coherente, encontrar un documento pertinente a una investigación requiere de una paciencia de chino. Los chinos, como es sabido, son recién llegados al Paraguay. Para peor, no se interesan en la historia sino en el comercio.

El investigador que pretenda ingresar en algún archivo nacional, sea cual fuere éste, encontrará tantas dificultades que generalmente optará por capitular. Más fácil le sería a un rabino ser introducido en el dormitorio del Ayatollah Komeini. Los archivos de ministerios y entes autárquicos son considerados, a todos los efectos, verdaderos arcanos. Es que la información que se rescate de ellos puede opacar la deslumbrante visión del Paraíso Perdido. Puede destruir la tranquilidad de vivir en el sitio donde se hunde, pensativo y oscuro, el ombligo del mundo.

En cuanto a la Biblioteca Nacional, es conocido el saqueo sistemático de que fue objeto. Lo poco que queda de su rico patrimonio inicial es motivo de la desesperación de su actual director. Sabe éste, por pertenecer al gremio intelectual, que buena parte del contenido de la biblioteca y del Archivo Nacional ha ido a parar en universidades norteamericanas o a enriquecer paquetas colecciones privadas, locales o foráneas. A cambio, obviamente, de "some money".

Con todo, queda bastante material para excitar a los detectives del pasado. Pero no hay peligro. Nuevamente el espíritu patriótico, empeñado en la defensa de nuestra concepción del devenir, tiene sutiles medios para desalentar a los investigadores más acuciosos. Una activa y voraz población de insectos y roedores se pasea amenazante por nuestros archivos. Quien pretenda meter la mano en los documentos en ellos atesorados corre el riesgo de que un ratón le muerda un dedo.

INSOLITO CASO DE ORGANIZACION

Después de la Guerra Grande, fue editado regularmente el Registro Oficial. Allí se asentaban los decretos, leyes, reglamentos y otros actos oficiales de relevancia que interesaba documentar. Claro que los gobiernos de aquella época tenían demasiada influencia foránea. Cuando "la raza" recuperó totalmente las riendas del poder, la búsqueda de la Edad de Oro exigió interrumpir la secuencia. Hubo períodos en que el Registro desapareció. Otros en que se publicaba sólo lo que convenía. Y otros en que el acceso quedaba reservado a pocos privilegiados, como si fuese un periódico restringido a una logia secreta.

El Archivo Nacional tiene, empero, mejor suerte que la que le cupo al desaparecido diario "La Tribuna" cuyos "clisés" —medio siglo de historia paraguaya en imágenes— fueron vendidos a una fundición, a tanto por kilo. No es caso único. Los grabados en madera de "Cabichuí", heroica publicación de la época de la guerra, fueron convertidos en leña. Algunos tacos fueron recuperados milagrosamente y con ellos se imprimió una serie especial, hace pocos años.

Docenas de kilómetros de películas del antiguo "Noticiario Nacional" juntan hongos y polvo, en total desorden, en un depósito privado. Pronto no quedará nada de ellas. Eso sí, en homenaje a la verdad, debo anotar un rasgo de organización paraguaya: se sigue cobrando puntualmente un impuesto a las entradas de cine, para solventar el presupuesto de las filmaciones. Además, se realizan importaciones de drogas para revelado, películas y otros insumos. Claro que hace más de veinte años no se filma ni medio metro de película.

ACTITUD SIMBOLICA

El país no cuenta con archivos completos de los diarios de sesiones de las cámaras del Poder Legislativo. Es sabido que durante el gobierno del general Higinio Morínigo, el edificio fue confiado a la custodia de una pequeña guardia militar. Aparentemente, los miembros del grupo empleaban los voluminosos y apolillados diarios de sesiones en lo que Borges denominaría "menesteres infames". Estoy dispuesto a jurar sobre la capa de San Blas que no se trataba de un simple problema presupuestario —escualidez del rubro para compra de papel higiénico— ni de la tacañería del jefe de la unidad militar de la que salía la guardia.

Se trataba, en este caso, de una actitud inconsciente: firme repulsa a la documentación histórica que podría convertirse en una barrera en la búsqueda de la mítica Edad de Oro. Además, no puede encontrarse otra manera más simbólica de demostrar el valor que el cuerpo de guardia asignaba a todo ese pesado y aburridor papelerío: apenas un simple y necesario sustituto del "avati ygue" de empleo obligado en nuestras campiñas.

Uno podría pensar que, a falta de documentos, se podría acudir a la memoria de los hombres. Pero esta memoria sólo puede escarbarse en la conversación privada, en las consejas de los ancianos o en el anecdotario disperso que recogen secretarios, amantes y choferes. Porque los protagonistas no dejan nada escrito. Y lo que ha quedado olvidado por ahí, lo niegan sobre la cruz de Jesucristo, con femenino pudor.

Los protagonistas de hechos históricos no escriben sus memorias. Prefieren que la posteridad urda libremente descomunales leyendas sobre hechos y personas. Los memorialistas son la excepción. Los más prefieren sumirse en el más torvo silencio. En cuanto al tratamiento de cosas que puedan comprometer la ejecutoria de tales o cuales personajes o corrientes de opinión se termina dejándolo librado a la imaginación.

Los historiadores —tenemos que llamarlos de alguna manera— escriben bizarros textos en los que se mueven, envueltos en humos épicos, imponentes personajes. Generalmente, los hechos son presentados como un ruidoso campo de batalla entre las huestes de Ormuz y Arimán. En él se enfrentan torvos y azufrosos esbirros de Satanás, por una parte, y los albos y sonrosados querubines del Altísimo, por la otra.

EL GALOPE DE LOS ARQUETIPOS

El liderazgo político del general Bernardino Caballero, fundador del Partido Colorado, es explicado por O'Leary como resultado de un infalible golpe de índice del mariscal López, al tiempo que exclamaba: "He aquí a mi sucesor". O'Leary, escritor al fin, agrega un colorido decorado a este acto, a orillas del arroyo Tandey'y. Hay también un mítico galope durante el cual ambos héroes pasan revista a las tropas, a las que López dirige las palabras rituales, exigiendo para Caballero la misma lealtad que le dispensaron a él.

Lo curioso del caso es que ninguno de los sobrevivientes de la guerra —entre los pocos que anotaron algunas cosas— recuerda hecho tan singular como es nada menos que la designación de un sucesor. Ni Silvestre Aveiro ni el General Francisco Isidoro Resquín ni Juan Crisóstomo Centurión ni el capitán Romualdo Núñez. ¿Mala memoria de todos ellos? Tal vez. Se podría acudir al intrépido Padre Maíz. Pero el padre Maíz dijo tantas cosas, en uno y en otro sentido, que no puede ser considerado el buque insignia de la probidad.

Lo interesante de constatar es que el General Caballero tenía méritos suficientes como para alcanzar el liderazgo por sí mismo. Se sabe de su atrayente apariencia personal, prudencia y profundo conocimiento del pueblo. Su gobierno fue notoriamente fructífero en orden, progreso y libertad. Luego de un largo período de anarquía, se pudo vivir en paz y sin mengua de las garantías constitucionales. Pero se insiste menos en esto que en el legendario episodio ubicado por O'Leary a orillas del Tandey'y. A su turno, Caballero se convertirá a su vez en un arquetipo, y el liderazgo político devendrá de parecerse a él, de constituir su reencarnación.

La fabulación es libre, pero siempre apunta a fortalecer el mito. El caso más atrayente es el del Mariscal López. Algunos creen que hasta le cambiaron la fecha de nacimiento, para perfeccionar el retrato. Y hasta le endilgaron un bello discurso final en Cerro Corá en el que, proféticamente, anunció su reivindicación: "Vendrán otras generaciones que me harán justicia". Curiosamente, el estilo de este discurso tiene muy poco que ver con el suyo, que brilla, sin embargo, en la digna respuesta que dio a la intimación aliada en Pikysyry. En cambio, el estilo rimbombante del discurso póstumo —se comenzó a repetirlo treinta años después de su muerte— se parece mucho al de Juan E. O'Leary. Casualidad, obviamente.

¿Cuál es la necesidad de fabular? Una muy importante: la de evocar la resplandeciente Edad de Oro y regenerarla en el presente. Por eso no existe la historia paraguaya, entendida como una línea fatigosa, abrumada por avances y retrocesos, castigada por esporádicas crisis, pero reconociendo en última instancia una firme línea ascendente. Lo que existe es un perpetuo sucederse de épocas negras y épocas blancas. Las primeras no son importunadas por un ápice de blancura; las segundas, no admiten una sola mota de polvo cósmico. Nuestra historia es el ideal de los maquilladores: carece de lunares. Su piel será siempre blanca o negra, sin concesiones a los tonos claudicantes, como el indeciso gris del que nunca se sabrá si es un blanco ennegrecido o un negro venido a menos.

Lo que buscamos es imitar a los arquetipos de la Edad de Oro en eterna lucha contra las fuerzas de las tinieblas: una especie de versión nacional de las disputas entre Ormuz —"infinito por lo alto"— y Arimán —"el loco lleno de muerte"—, cuyas querellas inundan el Avesta. Nuestros actos serán legítimos en cuanto imiten fielmente a los arquetipos. Por eso "cumplimos con el mandato de los próceres", "reivindicamos la patria vieja", "recogemos el legado de Cerro Corá", etcétera. Si no se establece la conexión con los arquetipos, la legitimidad se debilita.

NUESTRA EDAD DE ORO

Nuestra Edad de Oro es ubicada en el siglo XIX; en eso coincide buena parte de los escritores de la generación del 900. Es obvio que quienes vivían en la Edad de Oro no tenían conciencia de ello. No sabían que deambulaban sobre un terreno sacro. El mapa fue confeccionado después por Juan E. O'Leary, Moreno, Pane y otros eminentes intelectuales paraguayos. No faltaron extranjeros, como el sabio suizo Moisés Bertoni, que llegaron a esta Arcadia para vivificarse con sus benéficos aires. Desde Europa, anarquistas como Eliseo Reclus o diletantes como Thomas Carlyle elevaron epinicios que ayudaron a fortalecer este discurso, ya sea tomando como centro de interés la desoladora Guerra Grande o la enigmática personalidad del doctor Francia.

La terrible experiencia de la guerra no pudo menos que producir situaciones límites para la condición humana. Sacrificios inexplicables a la luz de la razón, hechos sorprendentes lindantes con la estructura de la tragedia clásica abonaron el terreno sobre el que trabajó la generación del 900. La canción épica recoge esta experiencia irrepetible y provee claves que no deben pasar desapercibidas.

Recordemos, por ejemplo, "Cerro Corá" de Félix Fernández, una de las más hermosas canciones del patrimonio musical paraguayo. Allí se dice con todas las letras: "Mariscal rire, Mariscal jevy; /mamópe oime nderasa hara... nembochyryry, nerejentregái, /ndéko Paraguay mombe'upyrã... ñamano rire ja pu'ã jevy/ ñahendu hagua Mariscal ñe'ẽ". En otras palabras: "después del Mariscal otra vez el Mariscal, dónde habrá quien pueda superarte... te sacrificaron pero no te entregaste, eres la leyenda del Paraguay... después de muertos volveremos a erguirnos, cuando escuchemos otra vez la voz del Mariscal".

La generación del 900 abrió la marcha al retorno a la Edad de Oro, con un dejo nostálgico que inundó su rica labor, al grito de "a pasado de glorias, presente de infortunios". Incluso la izquierda intelectual rinde su tributo a este discurso. Anselmo Jover Peralta coteja sus ideas con las de Manuel Domínguez con estas reveladoras palabras: "Recuerdo que el Dr. Manuel Domínguez me pidió, en cierta ocasión, durante la Guerra del Chaco, que le explicara eso de **una revolución que era al mismo tiempo una restauración**. Le contesté que era la misma cosa, en el fondo, que lo que él quería decir cuando decía que era necesario restablecer los factores económicos tradicionales dislocados. Verdad grande como una catedral"(4).

Surgirá en el lector la curiosidad de saber si la generación del 900 fue sólo una respuesta al fuerte acento liberal que nos invadió después de la Guerra Grande o si traducía sentimientos más íntimos, arraigados en el inconsciente. Con la irresponsabilidad de quien carece de pruebas, apostaría por la segunda tesis. La concepción arcaica del Eterno Retorno y la búsqueda de la Edad de Oro están más consustanciadas con el espíritu colectivo que las abstracciones que ingresaron en el Paraguay en las mochilas de los soldados de la Triple Alianza. No en balde los gobiernos que se sucedieron inmediatamente después de la derrota fueron formados por individuos influenciados por credos foráneos o que reconocían una fuerte influencia extranjera.

Como en los ciclos lunares, cada época de sombras será substituida después por una época de luz deslumbrante. Cada paradigma del mal será derrotado a su turno, inevitablemente, por el héroe solar. La luna recuperará su brillo redondo y el tiempo se habrá regenerado.

DONDE INTERVIENE LA POESIA

Josefina Plá explica el esfuerzo de la generación del 900 de una forma algo distinta pero no menos ilustrativa. Para la autora, no fue sino una manera de reconstruir, o quizá de construir, la literatura paraguaya. A título de hacer historia, los escritores de esta generación se pusieron a fabular. Los resultados fueron quizá pobres desde el punto de vista científico pero excelentes desde el estético. Que su trabajo haya tenido algo que ver con la historia minuciosa, como exigían los positivistas, de indiscutido liderazgo en esa época, es otro asunto.

La generación del 900 fue la primera que tuvo la oportunidad de trabajar con alguna continuidad en el quehacer intelectual. Soslayó la poesía, la novela y el teatro "por considerarlos superfluos o simplemente inoperantes en la tarea que específicamente le preocupó: **la definición de una conciencia histórica, la elucidación de un sistema de valores universales que prestase sentido a un devenir.** Era a todas luces urgente dar a este pueblo abrumado, desnorteado, una fe, un ideario, un rumbo. Al hacerlo, sin embargo, estos escritores no apreciaron el valor de la literatura como promotora de esa misma conciencia, como conservadora del fondo testimonial colectivo donde se documentan clima y contenidos espirituales" (5).

Pero esa decisión no fue gratuita. Tuvo un precio que Josefina Plá define en los siguientes términos: "Pero como desconocer o desdeñar la literatura no basta para eliminarla o suprimirla; como en el mundo de las experiencias espirituales, como en el físico, nada se pierde, sólo cambia de forma, **la literatura, relegada como actividad significativa, se trasfunde solapadamente a la historia misma, comunicándole su hiperestesia, su propensión a la fantasía, su inclinación al mito**"(6).

Los escritores de esa brillante generación se encargaron de construir una nueva memoria histórica. O mejor, siguiendo las ideas de Eliade, construyeron una perspectiva del pasado que borró la genuina memoria y permitió avizorar, sin sombras ni deformaciones, la perfecta y rutilante Edad de Oro. No se crea que esta posición quedó confinada a determinadas ideologías. A su turno, todas las que están representadas en el país, desde la izquierda hasta la derecha, desde Oscar Creydt hasta Juan E. O'Leary, se fueron acomodando a esta misma corriente.

LAS PREOCUPACIONES DEL BACHILLER CARRASCO

Convoquemos a Cervantes a iluminar una breve digresión. Discutía Don Quijote de la Mancha con el bachiller Sansón Carrasco sobre una versión de las andanzas del Caballero de la Triste Figura que circulaba entonces. En dicha versión se omitían ciertos garrotazos, recibidos por el hidalgo, que deslucirían ciertamente la imagen heroica pintada en el libro mencionado. La omisión de los palos, fuertemente cuestionada por el bachiller fue, sin embargo, defendida por Don Quijote.

Decía éste —un idealista— que podían callarse "por equidad" hechos como el omitido en la obra. Las acciones "que ni mudan ni alteran la verdad de la historia no hay para qué escribirlas, si han de redundar en menosprecio del señor de la historia. A fe que no fue tan piadoso Eneas como Virgilio le pinta, ni tan prudente Ulises como le describe Homero".

"Así es —replicó Sansón—; pero uno es escribir como poeta y otro como historiador; **el poeta puede contar o cantar las cosas, no como fueron, sino como debían ser; y el historiador las ha de escribir, no como debían ser, sino como fueron, sin añadir ni quitar a la verdad cosa alguna**" (7). La generación del 900, al pretender hacer historia, lo que hizo realmente fué poesía, seguramente de la mejor, pero poesía al fin. O, por lo menos, literatura de ficción pero que, a través de oscuros mecanismos del subconsciente, no hizo sino expresar el discurso arcaico del Eterno Retorno.

En el quehacer político puede advertirse también, con firmeza, esta misma convicción. Piénsese en la creencia, aceptada casi por unanimidad, de que muchos postulan seriamente la historia política del Paraguay como una sucesión de ciclos treintañales, como los requeridos para la prescripción adquisitiva de dominio del Código Civil. Cada treinta años se produce el desalojo del poder de un partido, el cual vuelve a la inhóspita llanura a rumiar, durante tres décadas, las desdichas propias de la oposición. Después de cumplido el ciclo se producirá el retorno a la tibieza del poder por el sólo paso de los años, pero sin que ningún factor estructural así lo determine. Sólo la ominosa rueda, en su implacable girar, determinará el final de una etapa y el comienzo de otra, que será similar a la que fue substituida por la anterior. Otra vez un período de luz —o de ignota y sepulcral penumbra, según como se la mire— obrará la regeneración del tiempo mítico.

EL DESTINO Y LA ESPERANZA

Si el tiempo es cíclico, todo está previsto: cada llanto, cada risa, cada muerte, cada aberración. Es necesario que así sea porque tendrán que reproducirse "ab infinito". El hombre no es libre sino apenas un ciego ejecutor de designios oscuros enunciados desde siempre; una marioneta movida por hilos invisibles que, en su inagotable petulancia, cree ser dueño de sus actos. Desde el momento mismo de su nacimiento, la vida de un hombre está nítidamente señalada sin que nada puede sustraerla a esta rígida determinación.

Las cosas son como tienen que ser. Hay que resignarse a ellas, porque no hay manera de evitarlas. Los que son ricos, ya han sido designados para ello: "La rikorã jairrikopáma; la mboriahurá jaimboriahupáma". (Los que debieron ser ricos, ya lo son; los que debieron ser pobres, ya lo son). Si a alguien le ocurrió una desgracia es porque, de algún modo, se cumplió una ley de compensación: "Ho'a hi'ári husticia". (La justicia le cayó encima). Es imposible darle el esquinazo al destino. Es natural, por todo eso, que el destino sea más cruel con los débiles, porque esto forma parte de una sólida ley cósmica: el rayo sólo caerá sobre la cabeza del pobre. O, en otras palabras, "mboriahu akã' ari mante ho'a la rayo".

Como dice monseñor Saro Vera, en un ilustrativo ensayo sobre la cultura popular paraguaya, publicado en un diario de esta ciudad, "las cosas llegan a su tiempo, nunca antes ni después, ni siquiera la muerte"(8). Y un dicho popular de gran difusión apunta finamente, con un acento que podría ser refrendado por alguno de los santones del existencialismo, que **la muerte ko jadeve vointe** (la muerte la debemos desde siempre). O, más exactamente, dentro del concepto de la predestinación, "nadie muere en la víspera".

¿Hay lugar para la esperanza? Sí, lo hay, pero con las debidas reservas. Probablemente sólo como la espera de que el destino trazado sea favorable a nuestros anhelos. Por eso se dice que **esperanza nahavẽiva**. (La esperanza no se enmohece). Pero la esperanza se tiene en que el destino sea favorable, no en que se puedan modificar las condiciones funestas que pesan sobre el individuo. Lo que ha de ocurrir, ocurrirá. Nada podrá evitarlo. Como lo explica el pueblo: **péicha guarántema** (así nomás ha de ser).

Emiliano R. Fernández, en una conocida canción popular ("Che paraje kue"= El que fue mi paraje) corrobora esta creencia general, con estos inolvidables versos: "Oguahẽ el tiempo cumplido/rohejávo katuete/ndahaséiramo jepe/el destino che obliga/ aga ipaha rohecha/adios che paraje kue" (se ha cumplido el tiempo/en que debo dejarte/y aunque no quiera irme/me lo obliga el destino/y ahora te contemplaré por última vez/adiós mi paraje"). En otros versos dice el mismo poeta: mi destino irremediable/oñekumplíta cherehe/ha upéramo ipahaite/aga ndéve apurahéi". (mi destino irremediable se cumplirá conmigo/por eso y por último vengo a cantarte).

NOTAS

1. Eliade, Mircea, **El mito del eterno eterno**, Planeta-Agostini, Barcelona, 1986, p. 46.
2. Id. p. 72.
3. Id. p. 250.
4. Jover Peralta, Anselmo, **El Paraguay revolucionario**, primera parte. Editorial Tupã. Buenos Aires-Asunción, 1946, p.72.
5. Plá, Josefina, "Contenido humano y social de la narrativa", en **Panorama** Nº 8, marzo-abril de 1964, Ciudad de México, 1963, p. 86.
6. Id. id.
7. Cervantes, Miguel de, **Don Quijote de la Mancha**, t. II, Centro Editor de América Latina, Buenos Aires, 1968, p. 24.
8. Vera, Saro, monseñor, "Algunas antinomias del paraguayo", en **El Diario Noticias**, Asunción, 28 de mayo de 1987.

X

EN DONDE SE CELEBRA CON INOCULTABLE ALIVIO QUE EN LO ALTO DEL GALLINERO HABITAN GALLINAS Y NO ELEFANTES

EL QUE PUEDE PUEDE

Abandonemos por un momento las disquisiciones apresuradas dentro de un campo tan oscuro como el de la Antropología Filosófica e ingresemos en el de la Sociología. Se supone que ésta nos aproximará a la estructura y funcionamiento de la sociedad. Para ello, en primer lugar, tendremos que describir la morfología social. O, por lo menos, cómo la concibe el paraguayo, independientemente de que, en la realidad, lo que éste piense coincida o no con la realidad objetiva.

La primera percepción es que la sociedad tiene la forma escalonada de un populoso gallinero nocturno, organizado con la forma geométrica de un triángulo erguido. Su codiciado vértice apunta al lejano cielo, azulosa morada de los dioses, sitio donde se dispensa la bienaventuranza eterna. A medida que se va descendiendo, se alarga la longitud de los palos y aumenta el número de sus plumíferos habitantes que tratan de equilibrarse sobre ellos. Allá arriba, el palo será coqueto y corto, tal vez hasta cubierto con una alfombra mullida y con capacidad de albergue para pocos y selectos inquilinos. Abajo, la multitud inquieta y bullanguera, disputando el espacio, el alimento, el aire, la ocupación. Arriba, los privilegios: alpiste "a piacere", canilla libre, derecho de pernada, ley del gallo, etcétera. Abajo, nada. Ni siquiera el derecho al cacareo libre. Pico cerrado para todo el mundo.

La ley de la gravedad, descubrimiento realizado por Newton mediante una oportuna fruta que le cayó sobre la cabeza, impone sus monótonas e inmutables reglas en esta estructura vertical. Los que están abajo soportan todas las consecuencias de esta organización escalonada; las incomodidades crecen en proporción directa a la distancia entre el sitio en el que uno se encuentra y el palo superior. Es una cuestión matemática, como se ve. Los de abajo tienen una sola ventaja: los que están encima no son elefantes. No hay mal que por bien no venga. Si lo fuesen, la incomodidad sería fenomenal ya que la ley del gallinero reserva, gravedad mediante, muchas tribulaciones a los que están en los peldaños inferiores.

Los que se encuentran en los peldaños superiores del gallinero reciben diversas denominaciones, según sea quien las efectúe y el sitio en que se realice la mención. Por eso pueden ser conocidos como "los salvadores de la patria" hasta "los dueños de la pelota". Se los llama también "poguasu" (de manos grandes, tal vez por alusión a lo que generalmente abarcan con ellas), "manguruju" (el pez más grande de nuestros ríos), "mata mata kuete" O, más simplemente, "los que tienen el apokytã", lo que viene a ser, strictu sensu, el nudo de la raíz; algo así como la propia raíz de la raíz.

Los que están abajo pueden ser conocidos, indistintamente, como "la raza", "pilas", "valles", "koygua", "buches", "pililitos", "gente rei", "partiku" (cuando la calificación la hace un militar), "jagua ry'ái" ("sudor de perro debarte", traduce Roa Bastos), "paranadas", "apelechados", "ajúra galleta", "cajetillos", "kuá chapí", "último kelembú", etcétera. Pero el problema de las denominaciones solo sirve para divertir a los lingüistas. Lo que sí tiene importancia es cómo son las vinculaciones que se establecen entre los distintos escalones.

"EL QUE PUEDE, PUEDE"

Hay un aspecto fundamental que no debe ser pasado por alto: el que se halla arriba, "manda". Aquí cabe una aclaración, porque los contreras dirán, injustamente, que quien manda se halla por encima de la ley. Se trata de un error, grave y fundamental, inspirado en una pobre hermenéutica. No es que los que "mandan" estén encima de la ley; ellos son la ley misma", su propia y esplendorosa encarnación. El lenguaje popular nos socorre, en este punto, para corroborar esta afirmación. Cuando se quiere decir que alguien manda en un lugar determinado, no se dice que sea "el jefe". Más directamente, se afirma que es "el estatuto" en tal o cual lugar. **Péako la estatuto upépe**. Resumamos. No es el dueño de la ley; él es la ley.

Es evidente que quien se encuentra en los altos peldaños, lejos de la contaminación atmosférica típica de la llanura, no se dejará amilanar por supersticiones tales como la que proclama la igualdad de todos ante la ley. Mucho menos aquella que habla de la voluntad de las mayorías, libremente expresada a través de urnas, votos y otros cachivaches. Por algo, para desalentar a los heterodoxos, protestones y anarquistas de toda clase, un eminente hombre público —fue ministro de Justicia durante muchos años, parlamentario y alto dirigente político— enunció esta magistral doctrina: "**Democracia es hacer lo que dicen los dirigentes**". Quien le sucedió en el cargo de ministro estableció el corolario lógico de esta sabia sentencia al afirmar que "un correligionario no puede ir preso". Se refería a un correligionario (de él) acusado de haberse embolsado unos cuantos millones y que, por tal ligereza de manos, hacía frente al riesgo de un proceso.

Por eso se habla siempre de "jefes partidarios", vocablo que traduce una relación de mando, y no de "dirigentes", "líderes", "mandatarios" y todas esas otras monsergas que suponen el consentimiento colectivo. Por suerte, no ha cundido tal desnaturalización cultural, que conspiraría evidentemente contra la sagrada identidad espiritual de nuestro pueblo, contra el mismísimo Ser Nacional de tan indiscutida vigencia.

La relación que existe entre los distintos peldaños se rige por la lapidaria e inmortal fórmula: "**El que puede, puede; el que no puede, chía**" (el que puede, puede; el que no puede, chilla). La expresión, sumamente gráfica, tiene un eco lejano del mítico general boliviano Mariano Melgarejo, quien acostumbraba decir "el que manda, manda y el dedo en el gatillo". Se trata de la aplicación de la antiquísima —"sabia y severa" al decir del poeta— ley del Embudo que se resume en este encomiable aforismo: "Para mí lo ancho, para tí lo agudo".

LA DOCTRINA DE TOTO ACOSTA

Como puede leerse en el Art. 39 de la penetrante Constitución de Toto Acosta, "El pueblo no delibera ni gobierna. Toda reunión de personas que pretenda tener derechos y pida que se cumplan incurre en sedición", concordante con el Art. 48 que dice: "Todos los habitantes de la República tienen derecho al libre ejercicio de su personalidad sin otras limitaciones que su encarcelamiento, tortura, confinamiento, deportación o fusilamiento" y con el Art. 54: "Todos los partidarios del Gobierno son iguales ante la ley y al margen de ella"(1).

La segunda parte del Art. 64, en el solemne capítulo V —que establece los Derechos, Garantías y Obligaciones— aclara otro de los pilares del sistema constitucional vigente: "**No se admite la prisión por deudas, pero sí por dudas**". Y en el Art. 77 del mismo texto constitucional se aclara terminantemente: "Toda persona que por un acto u omisión ilegítimo, militar o paramilitar, se crea gravemente lesionada en un derecho, podrá reclamar amparo a la Virgen de los Milagros"(2).

Espigando en el meollo de su doctrina jurídica encontramos el Art. 123, en el que se enuncia: " La obligación fundamental es obedecer; el sí fácil es una virtud teologal"...Art. 127: "La enunciación de obligaciones contenida en esta Constitución no debe entenderse como negación de otras que, siendo inherentes a los súbditos, no figuren expresamente en ella. La falta de reglamentación no podrá ser alegada para menoscabar ninguna obligación"(3).

El Art. 154 establece que "La Cámara de la Verdad buscará el sinceramiento entre el Presidente y su pueblo" y el Art. 155 ilustra a los escépticos que "**como el Gobierno lo sabe todo, la tortura no pretenderá obtener la verdad de los detenidos, sino hacérsela entender**"(4).

LA LEY DEL MBARETE

El mando se ejerce, como lo hemos visto, sin la molestia de leyes, reglamentos y de todo ese inútil papelerío que sólo sirve para complicar las cosas. Para que el sistema funcione sin dudas ni vacilaciones, el vulgo ha acusado la célebre **ley del Mbarete** (ley de la fuerza) a la que se ciñen, con religiosa sumisión, todos los paraguayos. La define el sociólogo José Nicolás Morínigo como el "eje de la relación entre quien posee autoridad y el que carece de ella. Su mecanismo de funcionamiento no deviene de una forma jurídica, sino de la sumisión requerida por la autoridad" (5).

Monseñor Juan Sinforiano Bogarín, incansable observador del carácter de sus conciudadanos, decía que el paraguayo "como autoridad es **casi nulo y hasta perjudicial** (los subrayados son de monseñor Bogarín). Desde que ejerce algún cargo, sufre una especie de transformación: deja entrever marcada inclinación, facilidad para injusticias, arbitrariedades y abuso de poder... Mira la posición que ocupa, no como una carga que le obliga a mantener el orden público y hacer cumplir las leyes, sino como un privilegio que le faculta a hacer imperar su voluntad y satisfacer sus caprichos. Comete injusticias contra sus súbditos, se venga de aquellos con quienes, con anterioridad, ha tenido alguna traba o enojo; aprovecha de cualquier pretexto para reducirlos a prisión, hacerlos trabajar en obras públicas, humillarlos, si es que no los remite al cuartel aun cuando están exceptuados del servicio de las armas..."(6).

UNA MISIVA INCOLORA

Ahora bien, cuando el mando se ejerce por delegación del peldaño superior, se emplea la famosa **carta blanca**, un trozo de papel rectangular, que no está borroneado por ninguna declaración, enunciación de atribuciones ni ocurrencias jurídicas o filosóficas. Una media firma, o una simple instrucción verbal bastarán para limpiar el camino de estorbos y complicaciones y aclarar la cadena de mandos. El que tiene la "carta blanca" puede hacer lo que quiere: desde apoderarse de una gallina ajena hasta degollar gente, sin tener que preocuparse acerca de las consecuencias que estos actos suelen traer aparejadas en otras latitudes. Punto de vista que se concreta en esta humorística reflexión: "**Marã piko ñamandase nañandeabusívo mo'airo**" (para que queremos mandar si no vamos a ser abusivos).

Se trata, como se ve, de una misiva muy especial, sin destinatario determinado, la cual genera privilegios singulares. Quien tiene la "carta blanca" se halla por encima de la ley de Dios y de los hombres. Es obvio que también esté por encima de la ley a secas. Esta carta extiende sus benéficos efectos a todo el entorno del poseedor: secretarios, queridas, amigotes, parientes, personal de maestranza, etcétera. Al fin de cuentas, se es o no se es. ¡Qué diablos!

De ahí que Arturo Bray, conocedor del juicio de monseñor Bogarín sobre la vocación de abusador cuando se halla investido de algún mando, dice: "El paraguayo con autoridad suele ser abusivo, cierto es, pero sólo cuando se sabe apañado o protegido por su superior mediato o inmediato, sea éste delegado civil, comisario, ministro e, incluso, presidente, tal no deja de acontecer en ambientes mejor constituidos que el nuestro; pero bien se guarda en incurrir en excesos si éstos han de ser reprimidos o sancionados" (7).

PARABOLA DEL ZORRO GRIS

Como decía el ilustre filósofo guaireño, don Cepí Mendieta, carumbecero de ley y compositor (de caballos), "en el Paraguay sí que da gusto mandar, porque se manda con abuso". Frase ésta cuyo origen se endilga a un ex presidente de la República, conocido por sus mañas de zorro. Es la misma actitud que esbozó, estupefacto, un "jefe partidario" cuando un agente de tránsito (zorro gris) le estaba aplicando una multa por doble estacionamiento. El hombre miró al agente y, con gesto de infinito dolor, le preguntó: **"E'ána che ra'y, ho'áma piko Partido Colorado?"** ("Pero mi hijo, ¿es que ya cayó el Partido Colorado?") El abuso o la arbitrariedad, si entendemos a estos términos como el pisoteo de la ley, no son necesariamente sinónimos de injusticia. Con la arbitrariedad se puede hacer de todo, hasta un acto de conmovedora justicia.

"Mandar, he aquí nuestra afición —reflexionaba a principios de siglo Gualberto Cardús Huerta— y mandar arbitrariamente es lo que sobre todo nos place. Su fin poco nos importa; más nos interesan los modos de usar políticamente ese verbo que la regularidad de su aplicación"(8).

Quien ha perdido el mando, se consuela esperando que alguna vez volverá a ponerle la mano al mango de la sartén. Enrique Riera contaba la historia de don Luis Añazco, caudillo colorado de Caraguatay, casi adolescente al concluir la guerra civil de 1904 que envió a la llanura a su partido. Desde aquel año hasta 1944, en el que falleció, supo mantener el fervor de sus correligionarios con la esperanzadora consigna **"ña manda potaite ñaina"** (estamos a punto de mandar).

"UPEARA ÑAMANDA"

Puede comprenderse entonces que la mayor parte de la dinámica social se relaciona con la búsqueda del árbol que da mayor sombra, es decir del sitio en el que se está más cerca del poder. Eligio Ayala, con su proverbial escepticismo, observaba que el poder "es el fin de la actividad política", conclusión que, sin embargo, no difiere de la de la sociología contemporánea. "Los partidos políticos —dice seguidamente— luchan en el Paraguay por adquirir y conservar el poder del Estado, el motor efectivo de ese poder, el Poder Ejecutivo, como fin, como fuente de distinción, de prestigio social, y como fuente de ganancias y recursos"..."En otras partes el poder político es un medio para satisfacer otros intereses, para realizar otros fines; en el Paraguay él es **un fin en sí mismo,** es el término de las ambiciones"(9).

Don León Cadogan, infatigable investigador, dejó escritas en sus memorias sabias y punzantes apreciaciones sobre la peculiar concepción del poder que tienen los paraguayos. "**Upearã ñamanda** dice el que 'es de la situación', afiliado al partido político dominante, al referirse a los privilegios de que goza el que esté en el candelero. Palabras con las que el paraguayo sintetiza su concepto de democracia, comparable con el **Nullus liber homo** del preámbulo de la Carta Magna de los ingleses"(10). Es comprensible que las memorias no hayan sido publicadas hasta hoy y que los herederos del autor hayan preferido guardar los originales bajo siete llaves, ocultos a las miradas indiscretas de pesquisas oficiosos.

DON TE'O Y LA PENA DEL AZOTE

Teodosio González —un inconsciente— se quejaba hace más de sesenta años de que los políticos paraguayos no comprendían que el ejercicio del poder supone el cumplimiento de un deber hacia la patria. "Para ellos —decía— el poder ha sido el botón a que tenían derecho por la conquista del mando y, por consiguiente, su usufructo, una propiedad legítima de que tenían la facultad del uso y del abuso sin dar cuenta de sus manejos".

"Para estos políticos, el pueblo que paga no es el soberano, el amo, el patrón, a quien ha de darse cuenta y razón día a día del manejo de sus intereses sino, todo lo contrario, sólo un montón de siervos de la gleba, un hato de incapaces, con deberes pero sin derechos a quienes se puede oprimir y vejar impunemente".

"Para los políticos guaraníes, el papel del pueblo ha de reducirse a trabajar, producir, pagar y sufrir con resignación, sin pedir cuenta a sus gobernantes de lo que éstos hacen con el poder; el gobernante es el dueño de la persona e interés de los gobernados; estos deben a aquel sumisión y acatamiento incondicional; el gobierno implica la facultad de hacer desde arriba lo que le conviene o le da la gana; **para eso es gobierno**"(11).

Don Teodosio no era muy afecto a los políticos, quizá porque no pudo descollar entre ellos. Por algo, cuando sugirió algunas pautas para reformar la Constitución de 1870, propuso restablecer la pena del azote para los delincuentes políticos. Y fustigó permanentemente a los que aman a la patria porque se sirven de ella, con el mismo afecto gastronómico que tiene el parásito al organismo que lo mantiene.

La estratificación social, empero, no es rígida e infranqueable, como en el sistema de castas de la India milenaria. Uno puede ascender o descender, según venga la suerte. De hecho, existe bastante movilidad vertical, como pueden dar fe quienes escudriñan la historia social. El ascenso estelar y el abrupto descenso son episodios reiterativos en esta historia. Para asegurar el ascenso sin contratiempos se requieren ciertos requisitos: una musculatura de escalador de montañas y el diestro empleo de garfios, poleas, escalas, picos, taladros, serruchos y otros implementos. Pero ya hablaremos de ello más adelante.

AMIGOS Y PARIENTES

Los movimientos en la escala social no son individuales sino que, además, son acompañados de vastos movimientos de masas. Quien sube o baja es acompañado de su clan, constituido por parientes, compinches, compadres, amantes y paniaguados en general. Las consecuencias se proyectan, por ese motivo, a toda la organización social con sus aspectos económicos, demográficos, políticos, sociales y hasta sentimentales.

Retornemos a González Dorado. "La cultura paraguaya —nos dice— **es la cultura del parentesco y de la amistad.** Son rasgos que vienen a compensar la desconfianza frente a la autoridad y frente a lo desconocido. El parentesco, como ya dejamos anteriormente anotado, es mucho más amplio que la estructura nuclear familiar. Tener parientes en el Paraguay, como en el antiguo mundo guaraní, constituye la verdadera riqueza y la garantía de seguridad. De hecho, la sociedad paraguaya mantiene todavía una configuración parental, difícil de entender para los extranjeros, y que se resiste a los instrumentos que suelen aplicarse al análisis de la realidad. Junto al parentesco ocupa un lugar de relieve la amistad, que se constituye en un valor de primera importancia. Parentesco y amistad son dos canales que desarrollan ampliamente la emotividad y la afectividad paraguayas, y por los que discurre la confianza"(12).

El grupo familiar ocupa, pues, un lugar de principal relevancia en la estructura social. Estamos lejos de la familia nuclear, propia de los centros urbanos occidentales. Nos hallamos más bien con una estructura a medio camino entre el clan y la "gens" romana. La constituyen no solo la pareja de marido y mujer sino también un abigarrado conjunto de hijos, yernos, sobrinos, compadres, primos, tíos, amigotes, paniaguados, cuates, arrimados, compinches, "amiguitas" (o "amiguitos", según el caso), "socios", candidatos, vecinos, camaradas de cuartel "cuñados indios" o compañeros de promoción escolar. El requecho se comparte.

Este hecho tiene sus inevitables consecuencias en la estratificación social. Llegar a la cúpula del poder supone, necesariamente, arrastrar detrás a toda esa multitud. La "gens" irrumpirá entonces con un bullicioso despliegue de "pipus" (grito tradicional paraguayo), matracas, pitos, banderas y tambores. Asimismo, el desalojo del primer escalón o de los que se encuentran en sus tibias proximidades, implica también un masivo empujón a todo el clan. Este será inmediatamente substituido, como es natural, por uno nuevo, el cual reclamará inmediatamente el derecho a participar democráticamente del requecho.

155

PIONEROS DEL "BRAGUETAZO"

Este esquema incluye la importante institución nativa del **tovaja** (cuñado), surgida del primer contacto hispano-guaraní. Y, pareja a ésta, otra no menos famosa y por cierto más temible: la **yernocracia**. No se trata de un invento novedoso. Reconoce una venerable tradición entroncada en la misma colonia. La erudición de Carlos Zubizarreta nos refriega en la cara la "yernocracia" colonial, con su extraordinaria avidez de poder. La influencia refleja que se adquiere de este modo suele ser asombrosa. De paso, se incorporan hábitos, modales,"hobbies" y hasta el modo de hablar y de caminar del suegro. El yerno de un general, por ejemplo, adquirirá inmediatamente la imponente marcialidad de un "junker" prusiano de la escolta del Kaiser. Su vocabulario será inundado por la terminología cuartelera y opinará, sin rubor, sobre el marco estratégico de la batalla de Campo Vía, con la suficiencia de Von Clausewitz.

Epocas hubo en que la "yernocracia" ocupaba todos los resortes del poder. Esto ocurrió varias veces en la colonia y también en la era independiente. Un oportuno golpe de bragueta asegura al yerno un sitio en el codiciado sector superior de las graderías. El lenguaje popular bautizó como "braguetazo" esta rápida y eficiente —aunque oblicua— vía de incorporación a la cúspide del poder. De todas las que conocemos, es la más dulce y amable.

Los pioneros de esta venerable institución nacional fueron nada menos que los yernos de don Domingo Martínez de Irala, en pleno siglo XVI: Gonzalo de Mendoza, uno de ellos, fue nombrado Lugarteniente General. Francisco Ortiz de Vergara y Alonso Riquelme de Guzmán, Alcalde Mayor y Alguacil Mayor, respectivamente. "Este nepotismo fue lo que se dio en llamar yernocracia de Irala"(13), comenta Zubizarreta. Inauguraron ellos una larga lista de individuos de retumbante paso por nuestra historia. No fue ajeno a ella el sevillano Juan Torres de Vera y Aragón, oidor de la Audiencia de Charcas quien, en un acto de fina puntería, desposó a Juana de Zárate, mestiza altoperuana, hija del Adelantado Juan Ortiz de Zárate. Heredó, en consecuencia, el adelantazgo, el cual lo ejerció a través de tenientes de gobernadores ya que el Virrey del Perú le impidió asumir funciones en Asunción.

En cuanto al amigo, ya se sabe. El amiguismo es una relación que, en el Paraguay, tiene una fuerza y un ritual más cercanos a los de la "maffia" que a una simple relación entre personas que no están unidas por vínculos de sangre. El amiguismo se superpone al parentesco y a las membresías políticas. No es casual que, para designar a un grupo político cuya representación se esté invocando, se diga "los amigos quieren" antes que "los correligionarios quieren". La palabra "amigo" rubrica la fuerza del mandato. La palabra "amigo porã" (buen amigo) alude a quien es capaz de hacer la vista gorda ante cualquier barrabasada.

Estas densas redes de vinculación, fortalecidas por intrincados compadrazgos, explican mejor determinados procesos sociales que el análisis de las lealtades partidarias, las afinidades ideológicas y el cruzamiento de éstas con patrones de relevancia económica y social. El amiguismo y la familia, en su sentido más amplio, ejercen una enorme influencia en los procesos sociales y políticos. Muy superior, muchas veces, a los aparatosos esquemas partidarios o a los mecánicos efectos de la infraestructura económica a los que son tan afectos quienes profesan, como artículo de fe, cierta "solapada" erudición materialista. Solapada no por lo oculta, sino porque proviene de la solapa de los libros.

DE LA CARRETA AL "MERCEDES"

En el Paraguay, desde muy antiguo, el poder económico es consecuencia del poder político y no al revés. Razón de más, entonces, para intentar encaramarse a los peldaños superiores del gallinero. Es un problema de distancia y de agilidad. El premio vendrá por añadidura. Cada vaivén político implica generalmente el ascenso de un nuevo grupo a las alturas y el esquilamiento inmediato del que ha sido desplazado de ellas.

Hay muy poco en nuestro país que se parezca a una aristocracia. La historia, desde luego, no presenta ocasiones favorables para ello, por lo paupérrimo de esta comarca. No existe, por consiguiente, una aristocracia en el sentido clásico del término: un grupo social estable en el tiempo, cerrado, dueño del poder económico y por consiguiente del poder político; capaz de cultivar un refinamiento del gusto que establezca claramente una terminante distinción con los que se encuentran más abajo.

Lo que tenemos es una oligarquía que remeda malamente, como el actor que comienza a ensayar un nuevo guión, los modos de vivir y de pensar de la aristocracia. Como se trata de una imitación, siempre ocurrirá algún error de copia o el olvido de alguna frase fundamental en el libreto. Nuestra oligarquía sigue hablando y pensando en guaraní —idioma de un pueblo pobre— y aporrea al castellano con el fervor que suele reservarse para los presos políticos.

No nos lamentemos por esto. Por el contrario, esta circunstancia otorga a la estructura social un carácter democrático que no es común en América. No debiera quitarnos el sueño la ausencia de una aristocracia cargada de siglos y de vicios, instalada en remotas nubes, pensando en francés y cultivando refinamientos inaccesibles (el polo, el esquí, la navegación a vela, el "go", la colección de armaduras medievales y otras vainas parecidas, como dirían los venezolanos). Todo lo contrario. Nuestros oligarcas piensan que el "non plus ultra" de la distinción es llegar a dirigente de un club de fútbol. Y que es muy "bien" enredarse a sopapos con jueces de campo, directores técnicos y periodistas deportivos. Definitivamente "kitsch" (kachiái, en vernáculo), pero indiscutiblemente democrático.

SOLO PARA DEPORTISTAS

El tenis, es cierto, ha ganado cierta notoriedad. Es de buen gusto tener una cancha de tenis en la casa y pasearse sobre ella con una vincha alrededor de la frente, el grueso abdomen sosteniendo la indumentaria blanca de rigor. Pero se lo ha adoptado —al tenis— sin haber cubierto las etapas intermedias, como el ping-pong y las bochas. El salto ha sido directo desde los combates de arañas, arrancadas de sus grutas con bolitas de cera sujetas a tensos hilos; desde el juego con bolitas en la vereda del barrio; desde la cacería de pajaritos con hondas que arrojan proyectiles de barro endurecido al sol; desde las aéreas evoluciones de pandorgas (barriletes) confeccionadas manualmente con palillos de tacuara.

Todavía no hubo tiempo de lograr la diferenciación en el gusto y en el consumo, que es el objeto del venenoso libro "Teoría de la clase ociosa" de Thorstein Veblen. Obra sobre la que Borges dejó escritas estas agudas palabras: "Cuando, hace ya tantos años, me fue dado leer este libro, creí que era una sátira. Supe después que era el primer trabajo de un ilustre sociólogo. Por lo demás, basta mirar de cerca una sociedad para saber que no es Utopía y que su descripción imparcial corre el albur de lindar con la sátira. En este libro, que data de 1899, Veblen descubre y define la clase ociosa, cuyo extraño deber es gastar dinero ostensiblemente. Así, se vive en cierto barrio, porque es fama que ese barrio es más caro. Liebermann o Picasso fijaban sumas elevadas, no por ser codiciosos, sino para no defraudar a los compradores cuyo propósito era mostrar que podían costearse una tela que llevaba su firma. Según Veblen, el auge del golf se debe a la circunstancia de que exige mucho terreno"(14).

La versión local de estos compradores de Picassos o Dalíes es algo bastante más pedestre. Es todavía compradora de libros por metros lineales y prefiere aún el fútbol al golf. Es que no hubo mucho tiempo para decantar refinamientos. Se pasó directamente del caballo con arreamen chapeado al "Mercedes"; del cachiveo al yate de los fines de semana; del rancho "culata jovái" a la mansión de estilo californiano. Tal vez la próxima generación se aproxime mejor al paradigma de Veblen salvo que se cumpla la amenazadora teoría de los ciclos, que exigiría comenzar de nuevo: la reproducción del mito de Sísifo con el aburrido subir y bajar de la misma piedra durante toda la eternidad.

NOTAS

1. Acosta Aquino, Luis Fernando. **Constitución modelo para la República del Paraguay,** edición del autor, sin lugar de edición, 1984, p. 8.
2. Id. pp. 9-11.
3. Id. p. 17.
4. Id. p. 22.
5. Morínigo, José Nicolás. "El impacto de la cultura urbano-industrial", en VII Semana Social Paraguaya. **El hombre paraguayo en su cultura,** cuadernos de Pastoral Social (No.7) de la Conferencia Episcopal Paraguaya, Asunción, sin fecha de edición, p. 54.

6. Bogarín, Monseñor Juan Sinforiano. **Mis apuntes**, editorial Histórica, Asunción, 1986, p. 98.
7. Bray, Arturo. Armas y letras. **Memorias**, ediciones NAPA, Asunción, 1981, p. 125.
8. Cardús Huerta, Gualberto. **Pro patria**, edición facsimilar de editorial El Foro, Asunción, 1984, pp. 92-93.
9. Ayala, Eligio. **Migraciones**, Santiago de Chile, 1941, pp.56,7.
10. Cadogan, León. **Memorias**, ejemplar mecanografiado, cuyo original obra en poder de sus descendientes.
11. González, Teodosio. **Infortunios del Paraguay**, Talleres gráficos argentinos, J. Rosso, Buenos Aires, 1931, 561.
12. González Dorado, Antonio (S.J.). "La evangelización colonial en el presente de la cultura paraguaya", en **El hombre paraguayo en su cultura**, p. 44.
13. Zubizarreta, Carlos. **Historia de mi ciudad**, editorial EMASA, Asunción, 1964, p. 44.
14. Borges, Jorge Luis. Prólogo a **Teoría de la clase ociosa**, de Thorstein Veblen, Hispanoamérica, Biblioteca personal de J.L. Borges, Buenos Aires, 1985, p. 9.

XI

APARECE EL HOMBRE INVISIBLE Y SE INSINUA UN TRATADO DE TECNICAS DE SUPERVIVENCIA CON DIGRESIONES SOBRE QUIMICA, FISICA Y PARAPSICOLOGIA

Hemos seguido paso a paso la pormenorizada descripción de la ley del Mbareté. Ella rige, sin grietas, la vinculación entre los que tienen el "apokytā" guardado bajo siete llaves y el ruidoso pero inocuo universo de los "ajura galleta". Ahora bien, si ésta ley es la que rige la conducta de los que están arriba, falta escudriñar la manera en que responden los que se encuentran en los escalones inferiores, para completar el cuadro del funcionamiento de la sociedad.

El AG (ajúra galleta) tiene una lúcida percepción del fenómeno del poder. Sabe que "el que puede, puede" y que "el que no puede chía". Siguiendo los indestructibles métodos de la lógica, llegará a un corolario inevitable, ley de hierro y regla de oro que determinarán su conducta: es mejor estar arriba que abajo. Esta íntima seguridad explica todos sus sinuosos movimientos.

Es notorio que los peldaños superiores tienen espacio para muy poca gente. Pero como son anchos y proyectan suficiente sombra, hay que guarecerse bajo ellos. No es fácil. Pero con despierta imaginación y con astucia ancestral, el AG desplegará una serie de tácticas escalonadas para congraciarse con el propietario (o por lo menos tenedor a título precario) del "apokytā", quien tiene, como también suele decirse, la sartén por el mango.

En principio, una observación imprudente concluirá que el paraguayo observa, como conducta, una sumisión ovejuna. El observador será engañado por ciertos modales externos y superficiales, que denotarían lo que, en apariencia, sería una insuperable naturaleza de galeote. Por ejemplo, conducirá a un enorme engaño la manera en que el AG se dirige a los que mandan. Al militar y al policía les aplicará un marcial "mi", propio de la relación de disciplinada subordinación. "Mi capitán", "mi comisario", "mi sargento", etcétera. En el quehacer político, los dirigentes son "jefes partidarios", expresión castrense que traduce igualmente un orden jerárquico similar. Quien ostente tales cargos se inflará como un pavo real, creyendo ser el dueño de las almas de los que le rodean.

163

LAS FINTAS DEL CAMANDULEO

Nada más equivocado. Lo que pasa es que el AG sabe que el poder se ejerce discrecionalmente. Por eso siempre pende sobre él, como una espada de Damocles —espada de Temístocles, prefiere un pensador criollo— el riesgo de que un error lo convierta, en cualquier momento, en un doloroso **tukumbo rupa** (colchón de garrote). Es mejor evitar tal riesgo, que puede quedar impreso, literalmente hablando, sobre sus amadas espaldas. De ahí las tácticas diversionistas del AG, que exageran las formas rituales de dirigirse a la "autoridad".

Y aquí, una breve digresión. Una vez más, autoridad es la persona misma, no el atributo de que ella está investida en virtud de la ley. Con menos palabras: uno no tiene autoridad; uno **es** la autoridad, resplandeciente de sables y talabartes. Pero si llega a envanecerse con los hábiles pases de felpa, cometerá un error capital. Se convertirá en instrumento dócil de quienes lo halagan.

No hace falta tener una función militar o policial para ser el receptor de estas delicadas caricias verbales. A lo largo de toda la estratificación social se multiplican estas formas de ensalzamiento. "Jefe", "che ruvicha", "che uru" (que quiere decir también jefe, en la tradición tribal) son otros tantos pases de suave y amorosa felpa. No faltará quien susurre cálidamente **che duki** (mi duque), con la almibarada eufonía de un paje dirigiéndose a un Grande de España. Se emplea también "maestro", como señal de supuesta pleitesía. En los últimos años ha ganado espacio otra palabra parecida: "profesor".

El objetivo será siempre el de hacer bajar la guardia y abrir las puertas del camanduleo, intimidad con el superior que corroe las jerarquías hasta destruirlas. El que capitule ante esta tentación, estará perdido. Se convertirá inconscientemente en un subordinado de los que se hallan en los palos más bajos del gallinero. Ignorará, por cierto, que la lealtad jurada estentóreamente no durará más que el mando de quien es blanco de los halagos. Pero mientras dure este mando, y bajo su amparo, el AG, virtuoso de la felpa, conseguirá ventajas diversas.

DEL CHIN-CHON A LA GENERALA

La lealtad declamada será recorrida por ruidosos ofrecimientos, juramentos de adhesión eterna, devoción incondicional, elogios arrojados con puntería de francotirador. Se comenzará con un tanteo preliminar, con unas fintas de sondeo para explorar los puntos débiles del blanco. Para ello, por ejemplo, se le arrojará un **ndéko remanda guasu** (tienes mucho mando). Si con esta zalamería no se obtiene respuesta favorable, se explorará otro flanco, con un **ajépa nepláta heta** (en verdad, tienes mucho dinero). Si, finalmente, la fortaleza sigue resistiendo al asedio, sólo quedará un recurso final para tender el anhelado puente de la camándula: **oje'e nderehe nekuñahetaha** (se dice que tienes muchas mujeres). Esta estocada final suele ser infalible, habida cuenta de que la poligamia es un valor cultural entendido y que el paraguayo **ikasõ peteĩ ha ikuña mokõi** (el paraguayo tiene un sólo pantalón y dos mujeres).

El lustre exige un planeamiento tan puntilloso como una batalla. Los manes de Aníbal, Epaminondas, Napoleón y Sun-Tzu presiden, expectantes, la elaboración de la estrategia. Todos los puntos débiles serán explorados. La esposa del "uru" será objeto de continuas demostraciones de afecto de parte de las esposas de los subordinados. Especial atención recibirán los cumpleaños, "santo ára", aniversarios de casamiento y evocaciones de ciertos ascensos fundamentales. Los músicos compondrán polcas dedicadas a ensalzar las virtudes del "jefe"; los poetas fraguarán acrósticos y compuestos.

Se investigarán cuidadosamente el club de fútbol y las aficiones resaltantes. Los juegos favoritos de la esposa proporcionan un excelente teatro de operaciones: chin-chon, canasta, buraco, generala, bingo, pócker. Si el hombre ha estado en alguna guerra internacional o revolución —aunque hubiese sido reclutado a puntapiés— se convertirá en el paladín de la contienda, mezcla de José Matías Bado y Eduardo Vera, de Leónidas y Odiseo. Pronto él mismo quedará convencido de haber sido protagonista de estupendas hazañas que fatigarían las recopilaciones de O'Leary.

INCOMPRENSION DE LA TACTICA

Es cierto que no faltan quienes desdeñan estas habilidades, calificándolas como pura adulonería. "El adulón —dice González Torres— es un incapaz o un vivo, que usa la adulación, a falta de capacidad, para ir viviendo y subiendo. Si es necesario se arrastrará como los ofidios y los saurios; cuando servil y arrastrado, el adulón es un desfibrado moral. Tiene espina dorsal de **ysypo**, capaz de adaptarse a todas las situaciones; desafía hasta la ley de la Geometría que dice que la menor distancia entre dos puntos es la línea recta. El adulón, para acortar distancia, para llegar más rápido y seguro, sigue una línea sinuosa. Es untuoso, con coleos de perro, pero a diferencia de este noble amigo del hombre, el adulón es incapaz de mantener afecto sincero, gratitud alguna. Adula en cuanto la víctima manda o le puede ser útil y después la olvida o la persigue; es ingrato y, si el adulado de hoy necesita alguna vez de algo, es incapaz de darle ni siquiera un consejo".

"El adulón es mañero, escurridizo, de postura servil; crece y prolifera en las cortes, palacios, alrededor de los poderosos del momento, de los jefes, es astuto, hipócrita, cínico. La política es un campo más propicio para los aduladores profesionales. Una variedad es el cortesano, por el ambiente en que actúa. Es el que organiza los festejos, las conmemoraciones y agasajos, los banquetes y demostraciones, pero pagan los otros, los participantes"(1).

En un breve ensayo, González Torres describe una tipología de los adulones, a los que divide entre **cínicos, calculistas y moderados**. Algo debe saber del asunto el autor, ya que fue funcionario de alto rango en el gobierno durante muchos años. Su tesis adolece —así lo creemos— de una debilidad: omite la vinculación de estas actitudes con las exigencias de la supervivencia individual y colectiva.

Un folleto casi desconocido hoy, publicado en 1911 por el periodista Rufino Villalba, director del periódico "Rojo y Azul", que se editaba por aquella época, arriesga una descripción pionera que los historiadores deberán anotar. Bajo el título de "Tipos y caracteres", Villalba describe con detenimiento, aunque también con visibles prejuicios, el antiguo tema del acomodamiento con el poder. O, si empleamos un lenguaje más moderno, de la sabia estrategia del acomodo.

UN POCO DE QUIMICA Y DE PARAPSICOLOGIA

Hay varios extraños efectos producidos por el ejercicio del poder, y que escapan a los dominios de la Sociología y de la Antropología Social para internarse en el campo de la Química y de la Parapsicología. Quienes llegan a los peldaños superiores sufren increíbles y maravillosas mutaciones, no sólo en cuanto a su comportamiento sino también en la recoleta intimidad de su estructura molecular.

Veamos algunas de estas mutaciones. El individuo se vuelve, repentinamente, más elegante que David Niven, más bello que Alain Delon y más simpático que Cantinflas. Se trata de un cambio verdaderamente inexplicable. Pero ocurre realmente. Lo puedo aseverar bajo la fe del juramento: no se trata de un conjunto de alucinaciones desorbitadas, como podría concluir algún lector apresurado.

Esto tiene, desde luego, sus consecuencias y responsabilidades. La primera de ellas es la molestia —intolerable, por cierto— que produce el incesante acoso de las mujeres. Es una carga del status, una responsabilidad derivada del cambio molecular, que involucra la adquisición de un caudaloso e irresistible "sex appeal". Por eso, cuando se llega a las alturas, uno se ve obligado a tener amante con casa y automóvil. Todo ello sin perjuicio del merodeo de otras "chuchis" ocasionales, para las cuales hay que multiplicar las atenciones. Esto exige, a su vez, atiborrarse de revitalizadores geriátricos —huevos de codorniz y jalea real a tutiplé— para poder estar a la altura, de manera más o menos airosa, de este indeseable sacrificio.

MISTERIOS MOLECULARES

Otro efecto que no debo omitir es de tipo parapsicológico. De pronto, uno deviene dotado de una extraordinaria gracia. El peor de los chistes, que desataría una rechifla en un bar de extramuros —cuando no un amago de agresión— obra, sin embargo, el milagro de levantar una tempestad de carcajadas. La gente se desternillará de risa. Habrá desmayos y sollozos de tanta hilaridad. Esta cualidad se transmite, por ósmosis, a la esposa e hijos y no pocas veces a parientes cercanos, compadres y otros paniaguados.

Otro extraño fenómeno, físico y químico, debe ser minuciosamente detallado: una **fusión** que afecta, no a los hombres, sino a las cosas. Consiste en la identificación de los bienes públicos y privados en una sola cosa. Al reunirse, crean una nueva entidad, síntesis impenetrable a toda dialéctica. Ya no pueden ser separados, ni siquiera distinguidos unos de los otros. Serán, en adelante, inseparables.

Se trata de un misterio molecular, de un proceso eminentemente químico que asombraría a los alquimistas medievales. La cosa pública se convierte primeramente en "res nullius" (cosa de nadie) y luego en propiedad del poderoso. Algunos antropólogos pretenden que esto se debe a la ausencia de una distinción entre propiedad pública y privada, típica de las sociedades arcaicas.

Invoco la autoridad de eminentes científicos que proponen la óptica de la Química y de la Física. Es particularmente sugerente el penetrante ensayo "Mutaciones moleculares bajo el efecto de determinadas densidades sociales", de J. C. Frutensen y M. Colman, del Black Hand Institute, de la prestigiosa Universidad de Stanford, Estados Unidos. Hay traducción castellana, aunque sólo de los capítulos fundamentales.

SINTOMATOLOGIA DEL "SOROCHE"

Otros notables efectos ocurren en el campo de la Biología y de la Geometría Plana, con esporádicas incursiones en la Física. El asunto se halla debidamente documentado, y al mismo ha sido consagrada una meritoria monografía realizada por los doctores L. von Prietovich y Z. Melgarejo, por encargo del Instituto Tecnológico de Zurich. El documento fue presentado, con la complacencia de los medios científicos, a un reciente congreso internacional celebrado en Bruselas. El tema dominante fue "Aproximación a un enfoque multidisciplinario de los movimientos sísmicos que afectan a las superficies sustentantes", obra de los autores citados.

El primer efecto es biológico, y afecta directamente a la salud humana. El segundo, es físico, y afecta a la opacidad del cuerpo. El tercero es geométrico. Comencemos por la salud, ya que plantea un problema de supervivencia. Al llegar a los peldaños superiores comienzan a aparecer ciertos síntomas tales como mareos, náuseas, pérdida del equilibrio, desubicación en el tiempo y en el espacio, euforias inmotivadas, irritabilidad, etcétera. La sintomatología desatada por la adquisición de poder es típica del mal conocido como "soroche" o "mal de la puna" o "mal de las alturas", de incongruente aparición en un país de llanura como el nuestro. Se aclara al lector, para no inducirlo a equívocos, que estar "apunado" no es lo mismo que estar "apenado".

EL EFECTO GRIFFIN

A su vez, la pérdida del poder produce otros efectos de apasionantes características. Entre ellos, el conocido científicamente como "efecto Griffin", el cual proviene —hay que decirlo— de Mr. Griffin, personaje de la obra "El hombre invisible" del novelista británico H.G. Wells. Griffin se volvió invisible como resultado de imprudentes experimentos químicos, hecho que produjo innumerables inconvenientes en su desenvolvimiento cotidiano. La novela es un inventario de las peripecias y desventuras del protagonista, víctima de prejuicios, persecuciones y maltratos.

En nuestro caso, no se trata de una manipulación torpe de productos químicos sino de seres humanos, pero el resultado es el mismo: la pérdida de la natural opacidad del cuerpo humano. La opacidad, como se sabe, es una de las características particulares de la materia. Esta virtud se presenta en algunos trozos de materia, pero no en todos. Los rayos de luz se detienen en la superficie de los cuerpos. Los seres vivos son, en general, opacos. La ciencia registra algunas excepciones: estos casos de repentina transparencia, documentados por prominentes investigadores y uno, muy especial, registrado por Cervantes. Pasó a la historia como el caso del licenciado Vidriera, frágil y quebradizo individuo.

Quien ha sido desalojado de los escalones superiores, notará que las personas parecen mirar a través de él, como si su cuerpo se estuviese volviendo de vidrio. La otra persona sólo tomará conciencia del ser vítreo sólo si, inesperadamente, choca con él. En casos extremos, la opacidad desaparece definitivamente y la transparencia se vuelve radical. Los rayos pasan a través del cuerpo y ni siquiera se percibe su contorno, su fantasmal silueta. El individuo podrá pasearse en medio de una multitud y nadie se percatará de su existencia.

Se añadirá otra característica notable: nadie sino él escuchará su voz. Podrá dirigirse a tal o cual individuo, llamándolo por su nombre, pero este seguirá sus pasos, incluso más apresuradamente, como si no hubiese oído nada. Los oídos del transeúnte interpelado permanecerán cerrados ante todo ahogado sonido que escape de la garganta del opacado por un descenso en el tobogán. Es como si éste viviese dentro de una cápsula de cristal.

Otro inconveniente derivado de esta situación es la corrección de una antiquísima regla de la Geometría plana que dice que la distancia más corta entre dos puntos es la recta. Quien ha "caído en desgracia" —una forma paraguaya de decir que alguien ha caído de la silla— comprobará rápidamente esta férrea ley. Habrá quien, para dirigirse a su destino, ahorraría un kilómetro pasando frente a la casa del caído. Pero preferirá realizar un largo y sinuoso itinerario antes que cortar camino, con lo que evitará ver una cara que conviene olvidar. Digno de un teorema. Pitágoras hubiese quedado estupefacto.

NOTAS

1. González Torres, Dionisio. **Boticas de la Colonia y cosecha de hojas dispersas,** biblioteca Colorados Contemporáneos, Asunción, 1979, p. 183.

XII

APARICION DE TRES MONOS DEL ORIENTE Y EXPLICACION DE LA TACTICA DE LAS ARAÑAS

DEL ÑE'EMBEGUE AL RADIO SOLO

Dondequiera detengamos la mirada, encontraremos siempre la actitud cautelosa, alerta, expectante, de pura prudencia, propia del sobreviviente nato. El paraguayo se mantendrá siempre atento a la realidad. Su enorme capacidad de fabulación se detendrá cuando ella se oponga a su propio interés, momento en el cual colocará todos sus sentidos en estado de tensión. Su mayor motivo de jactancia será, por eso, saber dónde pica el pez (moópa oime la pira kutu); de dónde sopla el viento (moo'gui ou la yvytu) y, como señal de supremo entendimiento, por dónde mean las gallinas (moó rupi o kuaru la ryguasu).

Por eso, como creemos haberlo explicado anteriormente, evitará siempre toda temeridad, toda incursión a las zonas de peligro. Sabe que no debe patearse un avispero (aníke repyvoi káva raitýre), ni pisar la cola de un tigre (ndoraléi re pyru jaguarete ruguáire) ni patearle en las fauces (aníke repyvoíti jaguarete jurúre).

La habilidad consiste en no comprometerse y en mantener siempre la posición de equilibrio, sin inclinarse demasiado hacia ningún lado en especial, salvo que en ello haya beneficio. Es el justo medio aristotélico; el centro exacto, como la boca de un poncho (**mbytetépe poncho jurúicha**).

LENGUAJE PARA CRIPTOGRAFOS

Para no comprometerse demasiado necesita de un sistema de comunicación muy especial cuya significación es dual, susceptible de doble interpretación. Según como convenga, se optará por una u otra decisión.

Esto ha llevado al desarrollo de un complejo lenguaje críptico, carente deliberadamente de claridad pero dotado de signos muy precisos para quien haya penetrado su código secreto. En una cultura ágrafa como la nuestra, la comunicación oral adquiere trascendencia inocultable; sólo podrán descifrarla —plagada de signos como esté— quienes posean sus claves.

Lo primero que advertiremos en el lenguaje popular es la ausencia de respuestas terminantes o el carácter ambiguo de ellas. En un diálogo, será difícil extraer ninguna connotación de compromiso genuino. En todo caso, se encontrarán expresiones susceptibles de doble interpretación. Pero es obvio que quienes se comunican saben exactamente lo que está pasando y pueden apreciar en su justa medida el valor de cada una de las palabras.

Hemos hablado de cultura ágrafa. En ella, el papel tiene un valor mágico aunque no se comprenda su contenido. Por eso el título de propiedad es identificado con la cosa a la que alude; quien lo entregue a un tercero —a un usurero de cabecera, por ejemplo— tendrá la seguridad de haber perdido la cosa. La representación de la cosa ha capturado la esencia de la cosa. Quienes habitan el mundo de los papeles son los "letrados", temidos como pícaros. "La palabra es lo que vale", define el código truquero, compendio de filosofía popular. Es decir, el significante se impone al significado en el tratamiento del lenguaje escrito.

Los semiólogos se sumergirían extasiados en las aguas de un sistema de comunicación como éste, repleto de parábolas, metáforas, símbolos y veladas alusiones. La comunicación social, repleta de misteriosos signos, suele ser, por eso, incomprensible para los extranjeros. Un sistema donde lo que se dice expresamente no dice nada, literalmente hablando, requiere ser descodificado para penetrar en su verdadera significación. En ella, las **connotaciones** ocupan un lugar de privilegio.

CODIGO PARA CHINOS

Al respecto, como una manera de argumentar por la vía de comparación, debo recordar un folleto que se distribuía a los pasajeros de las líneas aéreas norteamericanas que iban a la China. La redacción del folleto estaba dirigida a los empresarios que podrían tener interés en establecer relaciones comerciales con este país. Era la época de la euforia inmediatamente posterior al viaje de Nixon a Pekín. El objetivo era informar a los ejecutivos sobre nociones básicas de cultura china. Se decía allí que un chino respondería siempre con la negativa a cualquier planteamiento que se le hiciese en una primera reunión. La advertencia era la siguiente: no había que tomar en serio esa negativa. Debía levantarse la reunión con sonrisas y genuflexiones y retornar al día siguiente. Luego de otro par de negativas, podría venir el anhelado sí. Moraleja: el intrépido "bussinesman" no debía amilanarse. Era solamente un rasgo cultural lo que se tendría como escollo y no una genuina negación. Al día siguiente, las cosas podrían cambiar.

El paraguayo es todo lo contrario. Preferirá responder afirmativamente. No dejará de asentir, impertérrito, con un **"oi porã"** (está bien) a cualquier instrucción, orden, orientación, sugerencia o comentario. Consentirá con un sonriente **upéicha**, (así es). O, aún más complaciente, replicará a lo que se le está diciendo con un sonoro **upeichaite** (es así mismo), cabeceando afirmativamente. Alguien, aún más cínico, espetará un ruidoso **chéko ha'e voi kuri** (yo ya lo había dicho). Cuando la interpelación sea más directa y se le exija una clara y terminante absolución de posiciones, concederá con un sibilante **oiméneko upéicha** (ha de ser así). O con un hipócrita **ndéma niko ere** (usted lo ha dicho) lo que, a buen entendedor, no quiere decir que esté, en realidad, aceptando nada. Claro que, después de todas estas demostraciones de adhesión, hará lo que le dé la gana.

Sólo un ingenuo aceptaría frases o palabras semejantes como signos de conformidad. El sí de un paraguayo no quiere decir mucho; a lo sumo, una expresión de cortesía. Por ejemplo, si se le pide algo, replicará con un convincente "voy a hacer ahora". Pero, tal como hemos explicado, la concepción del tiempo en nuestra cultura es peculiar. Ese "ahora" puede ser enseguida o dentro de tres años. Sólo tendrá seriedad cuando esté acompañado de una acción inmediata.

DEL "ÑE'EMBEGUE" AL "RADIO SO'O"

Los medios formales de comunicación no tienen mucha credibilidad. Requerirán, en todo caso, ser confirmados por otros, aceptados como los más idóneos dentro del "ore reko". Adquirirá, por eso, temible eficacia el **ñe'embegue** (susurro) que se desliza al oído con el seductor ropaje de la confidencia. O que se emplea homeopáticamente en corrillos de confianza. Su fuerza persuasiva será siempre superior a la de las campañas publicitarias mejor orquestadas.

Una vez establecida la comunicación, el mensaje recibirá una rápida y letal propagación a través del deletéreo **radio so'o**, con sus infinitos canales. Sus mensajes serán aceptados con la religiosa veneración que se reserva a los íconos más famosos de la imaginería popular. **Lo mitãma he'i** (ya lo dijeron los muchachos) es una sentencia que rechaza toda impugnación posible.

Algún ingenuo se preguntará quiénes son "lo mitã". Se trata de un sustantivo colectivo que alude a una entidad invisible, misteriosa y omnipresente, de existencia ideal, pero cuyos fallos en el consenso popular son inapelables. Así definía "lo mitã" un certero observador de la década de 1950, en un texto rescatado del olvido por la tradición oral.

Siempre se preferirá dar a entender algo antes que anunciarlo o proclamarlo. Por eso el **dar ke'ẽ** (algo así como dar a entender algo, a través de gestos, silencios, movimientos, interjecciones u otros signos, en vez de darlo a conocer expresamente) es uno de los modos más empleados en la comunicación. Otro medio, parecido al "bluf" de los jugadores de pócker, es el **lata pararã**, (estrépito de latas), exageración sonora que tiene como objetivo despistar a los demás.

Hay otros campos en que se manifiesta esta misma manera elíptica de comunicarse. Cuando alguien abandona una reunión se disculpará diciendo **aháta aju** (me voy para volver). Por supuesto, esta expresión será interpretada por quienes quedan, en su justo y cabal sentido. Es decir, que quien se fue y dejó flotando esa frase podrá volver dentro de diez horas o el próximo año bisiesto. Tal vez hasta vuelva enseguida.

Si alguien pasa frente a una persona conocida le dirá, sin detenerse, un ruidoso **jahápy** (¡vamos!), con tono imperativo. La respuesta será siempre un ¡listo! que, en castellano paraguayo, quiere decir rotundamente sí. Pero que, en el código específico del diálogo al que estamos aludiendo, implica solamente que se ha tomado nota de la invitación. Y nada más.

PROHIBIDO EMOCIONARSE

El paraguayo es habitualmente silencioso. De pocas palabras. Casi hermético. Es difícil que exteriorice sus verdaderos sentimientos. Rechaza los excesos emocionales. Prefiere el equilibrio, la moderación, la templanza. Le desagradan los desbordes, en cualquier campo. Sus entusiasmos son limitados, salvo cuando están motorizados por el alcohol. Sus adhesiones siempre ocultan alguna reserva. Como el gato, el paraguayo sólo se entrega a medias, aguardando alguna ventaja como contrapartida.

Por eso es parco en demostraciones de afecto. Esto no quiere decir que carezca de sentimientos sino que los exterioriza en dosis muy cuidadosas. Todo a la medida, armoniosamente. Nada de exageraciones. Los artistas más famosos del mundo suelen extrañarse de que el público paraguayo sólo sabe compensarlos con aplausos débiles, sin las expresiones de delirio que suelen cosechar en otras naciones.

Citemos a Rengger: "Será difícil observar señales de excitación en el rostro de un paraguayo. Sin conocer a Horacio, parece que tomaran por lema el **nihil admirari** (no maravillarse por nada). Cuando vieren o escucharen algo que les causare verdadera admiración, se los verá sólo más tarde hablar del caso con asombro. Los acontecimientos que conmueven y sacuden a las otras partes del mundo son, para ellos, extraños e indiferentes"(1).

El Desfile de la Victoria, al concluir la Guerra del Chaco, fue uno de los momentos más emocionantes de la historia paraguaya. La multitud agolpada en las calles aplaudió, ciertamente, pero con una moderación que algunos observadores confundieron con poco entusiasmo. No había tal. En realidad, aquel desfile de las tropas vencedoras habrá estrujado el corazón del pueblo. Pero aún en ese instante, este se negó a sí mismo el torrente de emociones que hubiese sido obligado a ojos europeos.

De los guaraníes decía Azara que tenían un "semblante más frío, triste y tan abatido, que no miran al sujeto con quien hablan ni la cara del que les mira", y que "ni manifiesta las pasiones del ánimo ni se ríe; en la voz nunca gruesa ni sonora, en hablar bajo y poco, en la frialdad de sus galanteos y casamientos, en no gritar y quejarse en los dolores..."(2). Rengger confirma estas características casi con las mismas palabras que Azara: "Su rostro, en el momento de la emoción, no expresa ni dolor ni alegría como tampoco cambios anímicos o pasiones. Con sus ojos, semiabiertos, jamás miran a las personas con quienes hablan, manteniéndose cabizbajos o corriendo la mirada de un objeto a otro. Raramente ríen y, cuando esto acontece, no rompen en carcajadas sino mueven apenas la comisura de los labios. Su voz es baja, levantándola normalmente sólo cuando empiezan a embriagarse con bebidas espirituosas. Incluso cuando están lacerados por dolores agudos o mueren violentamente en la batalla, no se los oye gritar o gemir en alta voz"(3).

"EN BOCA CERRADA..."

Teodosio González, infatigable crítico de la cultura paraguaya, encuentra esta misma actitud en la relación entre gobernantes y gobernados: la aplicación, durante los sesenta años de la posguerra, del **principio del hermetismo**. "Es decir —explica— de la ocultación sistemática y completa a los gobernados de los actos realizados y propósitos sustentados por los gobernantes, tocantes a la marcha política y financiera del país, incluso a los mismos partidarios políticos"(4).

La reserva es considerada una virtud inestimable. El charlatán es una lacra social, un ser rechazado. El que eleva el tono de voz en una reunión es mirado inmediatamente con malestar. Es el repudiable **ñe'ẽngatu** (hablador) que no merece la confianza de nadie. Es un defecto femenino, hasta el punto de que ciertos lingüistas de cafetín aseguran que la palabra guaraní que designa a la mujer quiere decir "lengua mala" (kū=lengua; aña=maligno, demoníaco)

Por el contrario, "kuimba'e" (varón, en guaraní paraguayo), quiere decir "dueño de su lengua" (kū=lengua; imba'e=de él). Algo ha de significar esto porque en la cultura guaraní las deidades malignas son generalmente femeninas, como las que habitan dentro del **mbaraká** del brujo (aña mbaraka), y cuya misión es producir un monótono e interminable chasquido.

Retornemos al insomne Teodosio González. Este autor nos dice que "en todas las esferas de la población del Paraguay, aún en las más elevadas, se nota la falta de seriedad, de formalidad y de consecuencia en los actos que más las necesitan. Es que, para el pueblo del Paraguay, la seriedad y la formalidad no consisten, como en otras partes, en la corrección, exactitud y puntualidad en el cumplimiento de los deberes oficiales, comerciales o sociales, sino en adoptar **actitudes adustas, solemnes, tétricas y misteriosas, en estirar la cara, en no reir ni sonreir jamás**"(5).

LA LEY DEL ÑEMBOTAVY

Monseñor Juan Sinforiano Bogarín dejó escrito en sus memorias que "el paraguayo parece haber aprendido de memoria aquel dicho español: la desconfianza y el caldo de gallina a nadie dañan". Es así que difícilmente se abre o se manifiesta ante un desconocido o al superior, sea en conocimiento, sea en autoridad; es preciso desatarlo primero, es decir, darle algún motivo de confianza para que no tergiverse las cosas. A las preguntas o requerimientos que —de buenas a primeras— se le hacen, casi siempre responde con evasivas, si es que no niega rotundamente lo que se le pregunta, pues la mentira la dice con la misma facilidad con que se chupa una naranja"(6).

Lo que interesa es destacar esta actitud defensiva. Ella se resume en la famosa posición del "ñembotavy" (hacerse el tonto). "No habrá medio posible de hacerle comprender —explica monseñor Vera— porque se ha puesto a no comprender; o porque no le conviene o porque no le interesa o por capricho o por lo que sea. No comprenderá ni "oñemoñe'ẽ ramo chupe teatino" (ni aunque le predique un teatino), religioso cuya figura en el recuerdo legendario de nuestros abuelos es sinónimo de santidad. En este caso del "ñembotavy", no hay otra alternativa que desistir del propósito de convencerlo y con mucha tranquilidad. Si usted pierde los estribos, se le reirá para sus adentros" (7).

Nada de incurrir en la tontería de hacer frente al temporal. En vez de ello, aplicará rápidamente la desconcertante táctica del "ñembotavy". Si el viento arrecia, adoptará la pose del **ñemomirõ** (achicarse) o la del **kure lómo** (poner el lomo del cerdo), combinada con el astuto **ñemomandi'o rogue** (arrugarse como la piel de la mandioca). Si todavía sigue soplando con furia, no dejará de echar mano al contundente **ñemomano** (hacerse el muerto), hábil táctica de las arañas. ¿Quién puede perseguir a un muerto?

Debemos convenir en que no hay que remontarse a tiempos muy lejanos para saber de los riesgos que implica cometer una imprudencia. En boca cerrada no entra mosca. Este proverbio es seguido al pie de la letra, mediante la aplicación sistemática de la famosa ley del "Ñembotavy". Ella permite eludir responsabilidades y previsibles castigos. Sólo cuando se está seguro de que no habrá responsabilidades, consecuencias y castigos derivados de una afirmación, se accederá a decirla. Pero, previamente, se realizará una hábil y minuciosa "semblanteada".

LOS TRES MONOS DEL ORIENTE

Como principio general, eludirá toda inquisición, sobre todo cuando no sepa bien qué derivaciones tendrá la respuesta ya que, si olfatea que serán positivas para él, tendrá más locuacidad que un loro. Como los tres monos del Oriente, de la reiterada esculturita, declarará que no ha visto nada (**che ndahechái mba'eve**); que no ha escuchado nada (**che nahendúi mba'eve**) y que tampoco ha dicho nada sobre el asunto (**che nda'éi mba'eve**). No tendrá reparo alguno en jurarlo, sin siquiera parpadear, por todos los santos del calendario cristiano. Como principio general, preferirá abrazar la sana e irreprochable ignorancia total: **che ndaikuaái mba'eve** (yo no sé nada).

Si se aprieta al sospechoso contra la pared y se le exige una absolución de posiciones, no se sorprenderá. Si se le hace una afirmación tajante, reclamándole una confirmación inmediata, tampoco se arredrará. Replicará adhiriendo con un inescrutable **oiméneko upéicha** (así ha de ser) que, a los efectos prácticos, no servirá de mucho. La tortura no servirá de mucho, pese a la cristiana fe que parece despertar en ciertos círculos. Al primer revoloteo del "tejuruguái", no dudará en "arrimar por otro" toda responsabilidad.

Se trata de una actitud de defensa. No de cobardía moral. En realidad, conoce de sobra los problemas que pueden caer sobre su cabeza si es que incurre en apresuradas sinceridades. La memoria colectiva es sumamente puntillosa en materia de calamidades desencadenadas por la imprudencia. Hasta hoy, el "cantor" de la lotería presenta al 25 con un enigmático, "veinticinco, ava rembi'u plásape" (veinticinco, comida del indio en la plaza). Alude, según parece, al número habitual de azotes que se propinaba a los indígenas que cometían la menor falta. El castigo era cumplido en la mismísima plaza pública.

Todo esto nos propone el oficio del superviviente nato, que no arriesga nada inútilmente. Es la cautela del que sabe que, por encima de las apariencias, hay un entorno que puede entrañar graves peligros. "**El paraguayo es sobre todo un táctico** —dice Oscar Ferreiro— **que debe vivir y tiene que sobrevivir.** Entonces él desarrolla una conducta muy cautelosa en todo. Primero, escucha, no habla. Estudia. Es el indio que está acechando. Todo su entorno es para él inicialmente hostil. De manera que tiene que ir descubriendo quién es su amigo, quién es su enemigo"(8).

A veces se confunde esta actitud con torpeza o con ausencia de inteligencia. No poco de este enfoque corresponde a los prejuicios difundidos por el positivismo a finales del siglo XIX y comienzos del XX. La tesis del "cretinismo" no es un invento de Cecilio Báez sino del positivismo europeo, que alcanzó una indeseable difusión en América.

"MALAGRADECIDO PRESOKUE"

No puede faltar en este recuento la aparente característica de que el paraguayo es reacio a agradecer los servicios que se le han hecho. Recibirá el favor sin inmutarse, como si fuese una obligación de quien lo haga y, generalmente, sin proferir palabra. Lo máximo que emitirá como sonido será la expresión "Dios se lo pague". Dios, ya lo sabemos, es moroso en esta clase de pagos. Una frase rarísima será un "astima ndéve", una especie de agradecimiento en tono menor.

De allí surge la célebre expresión "malagradecido presokué" (desagradecido como ex presidiario). Los abogados que trabajan en la jurisdicción penal de los tribunales conocen bien esta frasesita. Alude a que, ni bien el presidiario pone los pies a un metro de las puertas de la prisión, olvidará el trabajo que ha efectuado el profesional y este verá esfumarse toda posibilidad de percibir sus honorarios.

Oscar Ferreiro proporciona esta explicación: "Para el paraguayo, por ejemplo, el regalo es un beneficio que se hace el donante y no él. Su mentalidad le dice que el otro quiere congraciarse con él, que quiere adularlo"(9).

Esto significa que quien es favorecido con un servicio piensa que es conducido a una trampa, que el servicio es gratuito sólo en apariencia. Que es una manera de obligarlo a proporcionar después alguna ventaja, quizá desproporcionada con lo que ha recibido. Por eso no tiene por qué dar las gracias. Al fin de cuentas, en su fuero íntimo, el otro estará evaluando el cobro de ese favor.

Podemos ilustrar esta actitud con una anécdota que se atribuye al General Bernardino Caballero, hombre de gran penetración sobre la manera de ser y de pensar de sus compatriotas. Se informó al general que alguien, muy conocido, lo andaba cubriendo de improperios. El general se mostró extrañado. No había motivos para recibir tantos agravios de aquel individuo. Al fin de cuentas —se asombró— no le había hecho ningún favor a esa persona.

"DIOS SE LO PAGUE"

Monseñor Vera ofrece su propia visión de este asunto, partiendo de una reflexión de monseñor Juan Sinforiano Bogarín, quien atribuye al paraguayo el defecto de ser desagradecido. "Yo diría más bien —dice Vera— que no agradece. En último caso este paraguayo le dirá a usted un simple 'Dios se lo pague' o un insulso 'muchas gracias'. Y todo termina aquí. Nunca se sentirá obligado a devolver el servicio que se le presta. Quizá alguna vez diga, como si fuera la cosa más natural del mundo: este me salvó la vida o salvó la vida de mi hijo. Pero nada más. Lo dice con toda naturalidad, de tal manera, que uno presiente que considera el hecho como algo debido, algo que se le hizo y que se le tenía que hacer desde ya. Él, pues, tiene derecho a lo que se le prestó en carácter de servicio. La comunidad se lo debe por ser miembro de ella. Entonces, ¿por qué agradecer?"(10).

La fuente invocada por monseñor Vera para entrar en tema es el célebre Juan Sinforiano Bogarín, primer Arzobispo de

Asunción. Sus "Apuntes" (memorias), publicados muchos años después de su muerte, pintan un Paraguay que probablemente ya no existe sino a medias. Pero sus raíces siguen firmes en la cultura popular de nuestro tiempo. Monseñor Bogarín nos dejó una perspectiva escéptica de la política y de muchos conspicuos hombres públicos de su tiempo. Pero también anotó algunos rasgos del carácter que merecen ser recordados.

"ASTIMA NDEVE"

"El paraguayo —nos dice— es generoso y hospitalario, pero desagradecido. Al necesitado socorre, ayuda en lo poco que puede; considera la generosidad como un acto noble que eleva y hace estimable al que la ejerce. Al viajero, con toda alegría, hace participar de su pobre mesa y hasta —esto no es un caso raro— le cede su cama, su poca comodidad para que descanse bien. Mas, el favorecido, por lo general, se muestra ingrato e indiferente a los actos de liberalidad que se le han dispensado. Con un 'astima ndéve chamígo' cree haber cumplido demasiadamente con su bienhechor. Es verdad que este se muestra generoso sin esperar recompensa alguna, ni material ni moral; mas el agraciado no se preocupa de demostrar de alguna manera su reconocimiento a quien le ha favorecido. Bien que siendo este proceder moneda corriente, el benefactor no tiene por qué extrañarse de tal conducta, por aquello de **hodie mihi, cras tibi**" (11).

Asunto apasionante debe ser este porque ha convocado la atención de varios individuos de alto coturno. Arturo Bray también echa baza, afirmando que "el paraguayo desconoce el sentido y la acepción de la palabra gratitud, como que dicha voz ni figura en el léxico guaraní, ni aun en los diccionarios compilados por los jesuitas en la época colonial. El "astima ndéve" —su equivalente— es mera adaptación de una locución española. Por el contrario, todo favor de que es objeto se le antoja un señuelo cuando no un agravio a su dignidad personal, cuando no una merced graciable que no necesita ser correspondido" (12).

Sin embargo, parece que el sentido del rasgo no tiene tanto que ver con la verdadera ingratitud y más bien con la parquedad. Es probable que, cuando se den las condiciones favorables, la persona beneficiada con la liberalidad no titubee en devolverla. Y para ello no se detendrá ante ningún obstáculo. Ni moral, ni legal ni social. Será simplemente que ha llegado el momento de hacerlo. Y no podrá eludir la obligación asumida en lo más profundo de su ser.

La verdad es que la estructura social funciona sobre principios de cooperación mutua. Cuando alguien asciende en la estructura, asume que la cooperación forma parte de su deber: **ñaipytyvõ va'erã lo amígope** (debemos ayudar a los amigos). Y, por supuesto, estos entienden que el principal deber de aquel es realizar ese objetivo. Quedará después una deuda —una **fineza**— pendiente de pago. Generalmente se encargará Dios de su cancelación, por aquello de "Dios se lo pague". Pero también es probable que, en algún momento, sin estridencias, se devuelva con creces la "fineza" debida.

NOTAS

1. Rengger, Dr. J.R. "Viajes al Paraguay en los años 1818-1826", fragmento en **Paraguay: imagen romántica,** selección, traducción, prefacio y notas de Arturo Nagy y Francisco Pérez-Maricevich, editorial del Centenario S.R.L. Asunción, 1969, p. 51.
2. Azara, Félix de. **Descripción e historia del Paraguay y del Río de la Plata,** edición facsimilar, Asunción, edición del Ministerio de Hacienda, sin fecha, p. 186.
3. Rengger, J.R. "Historia natural de los mamíferos del Paraguay", fragmento en **Paraguay, imagen romántica,** p. 53.
4. González, Teodosio, ob. cit. p. 561.
5. Id. p. 452.
6. Bogarín, Monseñor Juan Sinforiano. **Mis apuntes,** editorial Histórica, Asunción, 1987, p. 99.
7. Vera, Monseñor Saro. Algunas antinomias del paraguayo, en **El Diario Noticias,** Asunción, 28 de mayo de 1987.
8. Ferreiro, Oscar. "Cara a cara con Oscar Ferreiro", diario **Hoy,** Asunción, 7 de junio de 1987, revista dominical, p. 13.
9. Id. id.
10. Vera, monseñor. Saro. Id. id.
11. Bogarín, Monseñor Juan Sinforiano. Ob. cit. p.99.
12. Bray, Arturo. **Armas y letras,** t. III, ediciones NAPA, Asunción, 1981, p.125.

XIII

TEORIA DEL CONFLICTO O LAS BONDADES DEL "FREEZER"

En el carozo de toda sociedad se encuentra el conflicto, sólidamente instalado. Así lo enseñan, con unánime convicción, los oráculos de la Sociología. Entrar en el santuario de la Fisiología Social es hablar, irremediablemente, de conflictos. Hay conflictos entre jóvenes y viejos, entre padres e hijos, entre suegras y yernos, entre hombres y mujeres, entre machistas y feministas, entre importadores y exportadores, entre deudores y acreedores, entre opositores y oficialistas, entre trabajadores y empleadores, entre simpáticos y antipáticos, entre conservadores y revolucionarios.

Un catálogo de los conflictos humanos ocuparía, por fuerza, más tomos que los de la adusta Enciclopedia Británica. Tarea semejante supera holgadamente las menguadas fuerzas de quien esto escribe. Hecha esta salvedad, corresponde, empero, añadir una breve digresión: cada persona abordará la solución del conflicto según sea su profesión u oficio. Veamos algunos ejemplos tomados al azar.

El psicoanalista, previo pago de abultados honorarios, tratará de echar luz sobre un amor culpable a mamá o a papá. Habrá que expulsar a este sentimiento de culpa de la guarida del subconsciente en la que se oculta, como un caracol, de la mirada de los demás y de la propia. Una vez a la intemperie, la culpa será sometida a la luz del implacable reflector de la conciencia y uno podrá dedicarse al incesto sin remordimientos.

El totalitario meterá en la cárcel al conflictuado y lo hará apalear con cristiano fervor. Y si sigue creando problemas, lo fusilará para que aprenda. El general Laureano Gómez, luz y ejemplo de los dictadores del trópico, tenía una pedagogía diferente: **el afusilamiento no corrige al muerto pero atempera al vivo**. Los educandos serán, en este caso, los sobrevivientes si es que quedare alguno.

El sociólogo buscará una fundación norteamericana o europea que respalde una investigación —financiada, "of course"— para esclarecer las minúsculas e imperceptibles interrelaciones que se hallan en el meollo del conflicto. Que el problema se arregle o no, es harina de otro costal. Siempre habrá la posibilidad de pedir una segunda financiación —naturalmente a otra fundación— para explorar, con una metodología de alto refinamiento, lo que quedó en el tintero.

El militar ordenará hacer saltos de rana a quien se atreva a plantearle algún conflicto; hay que obedecer, y a otra cosa. El ecologista buscará el origen del conflicto en alguna secreta alteración de la armónica convivencia de las especies de un ecosistema agobiado por los humos, el material plástico, el ruido y la inconsciencia del hombre. El religioso elevará una desolada oración al Altísimo, pese a que sospeche que este hace cada vez oídos más sordos a las querellas humanas.

UN "FREEZER" PARA LOS CONFLICTOS

Dejemos ahora el análisis sectorial y retornemos al global, que es el que nos interesa. Aquí descubriremos que el paraguayo tiene una manera típica de encarar la solución de los conflictos, la cual forma parte indisoluble de la cultura nacional. Se trata de un "estilo" general, de empleo para todo tipo de actividades, y no profesional o sectorial como los que repasamos anteriormente. Por eso mismo merece un análisis más detallado.

Cuando aparece el conflicto, este es sometido a una especie de hibernación en la mayor parte de los casos. No se tomará ninguna decisión y se dará largas al asunto, el cual quedará en "amansadera" por tiempo indefinido. El conflicto no será un desafío que reclame respuesta sino un objeto que hay que sumergir decorosamente en el "freezer" para que reciba los benéficos efectos del congelamiento. Toda insistencia será inútil. Inevitablemente se aplicará la frase sacramental "ndaipóri problema" (no hay problema). Si no hay problemas, ¿para que solucionarlos?

En el célebre "Catecismo político y social" de la época de Don Carlos Antonio López, se respondía con un rotundo "de ninguna manera" a la pregunta siguiente: "¿Es prueba de patriotismo poner en evidencia los **vicios más o menos reales** de la organización política de su país?"(1). Otra pregunta decía: "¿Qué debe hacer el patriota para que mejoren las condiciones de su país?".

La respuesta incluía la confianza en que **"lleguen los gobiernos a modificarse a sí mismos"**(2), lo cual obviaba la necesidad de realizar esfuerzos para presionarlos a cambiar. Si no cambiaban de buen grado, sólo podía recomendarse paciencia y resignación a quienes sufrían esta inoperancia.

Hay en esta actitud algo de la doctrina del Tao, que podría dar pábulo a la tesis de quienes buscan las raíces de la cultura autóctona en las migraciones que realizaron a América, hace miles de años, algunas tribus mongólicas. Dice el Tao: "Si un hombre intenta darle forma al mundo, modelarlo a su capricho, difícilmente lo conseguirá. El mundo es un vaso divino que no se puede modelar ni retocar. El que lo modela, lo deforma. El que porfía en él, lo pierde. Por eso el sabio no intenta modelarlo: luego no lo deforma. No insiste en él, luego no lo pierde"(3).

Esta doctrina de la inacción tiene, pues, una antiquísima fuente oriental, que ha despertado la curiosidad y el interés de muchas privilegiadas mentes occidentales. Oscar Wilde, por ejemplo, comenta con evidente simpatía el credo de Chuang Tzu (s. IV a.c.), reproduciendo su milenaria fórmula **"no hagas nada y todo estará hecho"** (4). Un proverbio, probablemente también de origen oriental, sintetiza esta manera de concebir el conflicto: "Si tu problema no tiene solución, ¿de qué te preocupas? Si tu problema tiene solución, ¿de qué te preocupas?"

Por eso no debe sorprender que, cuando surja un conflicto, el paraguayo no vacile en arrojarlo a su propio destino, sin intervenir en su dinámica interna, sin alterar su ritmo, sin quebrantar sus propias leyes secretas. Arrojado a su suerte, y pese a la bulla que levante a su paso, el conflicto terminará con una de dos maneras probables: **el oparei** y **el so'o**.

EL "OPAREI"

Comencemos con el **oparei** (strictu sensu: terminar de balde). El conflicto sigue esta rutinaria secuencia: nace, crece y, como nadie le hace caso, se hace complejo, incorpora lágrimas y sainetes, produce llantos y carcajadas y llega a un fragoroso clímax. Después comienza a declinar por sí mismo, como un cometa que, luego de deslumbrar al universo con el brillo de su larga cola llameante, se desvanece en el espacio, dejando a su paso la quieta oscuridad. No quedará rastro alguno de él en el espacio. Ni siquiera el recuerdo.

Algunos aforismos confirman esta metodología: **oparei, alcanfórcha** (terminó de balde, como el alcanfor) **oparei vaka piru ñorairōicha** (terminó de balde, como pelea de vacas flacas). Aquí cabe destacar que todo el estruendo producido no inmutó a nadie ni mucho menos interrumpió el pacífico discurrir de los movimientos peristálticos. Ni disminuyó siquiera un sólo minuto el tiempo consagrado reglamentariamente al reparador descanso de la siesta o de la noche. Se trata simplemente de esperar. Luego vendrá el "opa rei" a devolver las cosas a su lugar.

Por eso no hay que precipitarse; ello no resolverá nada. Total, **entéro ojapura va'ekue omanombáma Boquerómpe** (todos los que se apuraron murieron en Boquerón). O, "ndaipóri apuro, he'i kure mboguataha" (no hay apuro, dice quien se dedica a hacer pasear cerdos). Las soluciones vendrán a su tiempo, sin que haga falta porfiar en su búsqueda, sin que se sacrifique el reparador sueño de la siesta.

LA SOLUCION "SO'O"

Al conflicto puede ocurrirle una segunda cosa: **"declararse so'o"** (strictu sensu: declararse carne). Literalmente, esto no quiere decir nada. Pero con la ayuda del ilustrativo glosario del "jopara" de Ramiro Domínguez, podemos rastrear el origen y los alcances de la expresión "So'o: partido so'o (encarnizado), sin ley, ni modo; 'a lo valle' (a lo nuestro). Por sinécdoque, cualquier proceso de grupo sin regla ni modos. Cfr. "ojedeklara so'o"=se declaró libre juego (=se difirió la reunión por acuerdo de partes o a falta de concurrentes). Connota una alusión irónica al consenso popular de que es ardua empresa llevar formalmente un proceso social; o lo que es lo mismo, que las 'formas' por lo regular no encajan en la ambigüedad de los roles que les tocan vivir, incorporados a medias a un proceso de urbanización que no acaba de plasmarse"(5).

Si podemos refinar aun más el análisis podemos decir que el conflicto comienza con la misma secuencia que aquel que termina con el ya mencionado "opa rei". Solo que luego de llegar al clímax todo se declara "so'o". Es decir, por razones inescrutables, el impresionante bollo se precipita a una total confusión. Se pierde de vista quien comenzó el asunto y de qué se trataba este. Nadie entiende lo que está pasando ni qué se está discutiendo. Y, más probablemente, lo que se está discutiendo no tiene nada que ver con su causa inicial sino con el oficio de la madre del contendor.

En esta segunda variante tampoco hay decisión expresa y racional de nadie. Por su propia dinámica, librado a su inercia, el conflicto fue a parar en el fangoso terreno "so'o". Allí tampoco existirá solución porque ha cambiado su naturaleza original para convertirse en otra cosa: en un auténtico despelote. La voluntad humana ha sido ajena a esta carrera enloquecida hacia el cumplimiento del destino "irremediable", como decía un conocido verso de Emiliano R. Fernández, de justificada popularidad.

LA LEY DEL "JEPOKA"

A veces, la situación se complica en exceso y hay que tomar posición o realizar determinados actos. Nada hará que se rompa la plácida concepción del tiempo circular. Para ello existe la férrea "ley del jepoka", que significa simplemente esperar de otro la solución. En resumen, se transfiere la responsabilidad a terceros porque también eso, probablemente, está previsto en algún secreto arcano. "Ajepoka nderehe" (lo esperaré de ti) pone en movimiento una misteriosa cadena de sucesos que, finalmente, pondrá fin a nuestras angustias.

Para Miguel Angel Pangrazio (Indicadores de la estructura social del Paraguay, segunda edición corregida y aumentada, editorial El Foro, Asunción, 1989, pp. 323-324), tenaz investigador de la cultura paraguaya, la ley del "jepoka" forma parte del código de antivalores de nuestro pueblo. Antivalor significa lo claramente aceptado como malo, por lo que el "jepoka" sería, según este punto de vista, una actitud negativa. Por el contrario, abrigo la temeraria sospecha de que no se trata de algo malo en sí sino de la consecuencia de una concepción del tiempo y, por consecuencia, de la vida. Por lo tanto, no estamos ante un antivalor sino ante un valor con toda la barba.

Siempre estamos esperando que el "jepoka" nos resuelva los problemas que, según la concepción racionalista, sólo nosotros podremos resolver. La solución podrá venir de cualquier lado, menos de la propia acción del individuo o del grupo social. No tienen valor la concepción voluntarista de la historia ni el polvoriento aforismo que dice que el hombre es artífice de su propio destino. Los conflictos se resolverán, pues, por sí mismos, por pura inanición o mediante la inesperada intervención de factores externos. El "deus ex machina" aparecerá en el momento ideal para poner las cosas en su lugar. Si tal intervención no se produce, es porque el destino no lo ha querido así.

LA LEY DEL "VAI VAI"

Si se vuelve inevitable tener que actuar, hacer algo, para eso se cuenta con la impoluta e inagotable ley del **vai vai**. A la ya comentada concepción peculiar del tiempo se debe también el modo en que trabaja y, en general, desarrolla cualquier actividad, el paraguayo. Todo lo hará "vai vai", en forma "guarara" o, como diría en su castellano local, "mal que mal". Al fin de cuentas, ¿para qué concederle a un trabajo probablemente pagado magramente, un tiempo superior al indispensable para darle una apariencia externa de que ha concluído? Con la entrega del trabajo se acaba el problema; para el que lo realizó, naturalmente. El problema, sin embargo, empezará para quien lo ha encargado y pagado. Pero ya no interesa a aquel.

El paraguayo realiza sus actividades de todo tipo "a lo Luque" o, lo que es lo mismo, "a lo Chaco", "vai vai" o, simplemente, "a lo Paraguay". Con estas expresiones se califica a toda acción humana realizada sin orden, método, rigor, plan, objetivos, cronograma, razonamiento ni evaluación posterior. O sea, algo realizado en forma **guarara**, expresión onomatopéyica que no requiere mayor explicación. Algo "guarara" es simplemente eso: "guarara".

Los gallegos suelen decir "salga lo que salga". En el castellano paraguayo se prefiere decir "mal que mal". Con esto se formula un juicio de valor sobre la forma en que se llevó a cabo la acción e, indefectiblemente, sobre el resultado de la misma. El guaraní, que no puede faltar en esta clase de glosarios, aporta también lo suyo: "vai vai". Aunque probablemente sea al revés y "mal que mal" sea, en definitiva, una traducción del guaraní.

El "vai vai" es, de suyo, otro de los rasgos culturales de hondo arraigo nacional. No hace falta tener los múltiples ojos de Argos para verificar su presencia en casi todas las actividades. Se comprobará que el paraguayo prefiere hacer las cosas sin inquietarse mucho por el resultado. No le hará perder el sueño ni un segundo la perspectiva de que su obra sea recibida con un bombardeo de protestas, insultos y descalificaciones.

Así, el mecánico devolverá un automóvil con varios cables sueltos y con varios tornillos y tuercas menos. Si se le pregunta por el material sobrante, contestará sin dudar: "ko'a gríngoko omoireipa ko'ã mba'e" (estos gringos ponen todas estas cosas sin motivo alguno). El electricista entregará la instalación de una vivienda sin realizar la verificación final que asegure que su próximo ocupante no muera electrocutado. Esta descubrirá probablemente que, para encender la luz del comedor, deberá oprimir el botón del radio y, para poner en movimiento el ventilador, tendrá que estirar la cadena del inodoro. El albañil dejará una obra con muros inclinados que harían la envidia de los habitantes de Pisa.

El rasgo cultural tiene extendida vigencia. Traduce una filosofía de la vida y de las cosas. Filosofía pedestre, quizá, pero expresión directa de la manera de ser y de pensar de todo un pueblo. Parte incanjeable del **ore reko** (nuestro modo de ser) y, por eso, de necesaria permanencia, en homenaje a la gloriosa identidad nacional. El "vai vai" debe ser llevado, por eso, al grado de una ley cultural cuando se realice una correcta codificación de la paraguayidad.

"ÃGA AJAPOTA AINA"

"Uno de sus tantos defectos —dice monseñor Saro Vera, un agudo observador de nuestro pueblo— es que sueña despierto, y es un perfeccionista empedernido. Hace las cosas provisionalmente y luego le sale lo provisorio para siempre. Hace muy poco porque su intención es hacer algo grande y digno. Y como puede hacer así porque sueña, se paraliza. "Agánte ajapóta aína" (ya lo haré en algún momento), responde cuando se le insta demasiado. Es que me falta todavía esto y aquello. Cuando se le dice que debería hacerlo por partes, responde con un sí carente de convicción. Sueña con lo mejor; y lo mejor es enemigo de lo bueno, como lo bueno es enemigo de lo posible".

"El paraguayo será calculador en muchos aspectos de la vida y de sus relaciones pero **nunca el tiempo ocupará sus cálculos. Nada piensa a largo plazo.** Le resultará incomprensible un proyecto por ejemplo de diez años de plazo. Ni siquiera considera el mismísimo mañana. Es muy capaz, y lo hace con frecuencia, de despilfarrar todo en un día lo que le hubiera servido por largo tiempo. Es inmediatista a pesar de que vive aún consustanciado con la naturaleza".

"Las cosas llegan a su tiempo. Nunca antes ni después; ni siquiera la muerte. La naturaleza tiene sus ciclos. Las plantas, tienen su tiempo de brotar, de crecer, de florecer, de fructificar y madurar sus frutos. Por más que usted se muera de hambre, el maíz no echará mazorcas antes de los tres o cuatro meses. Hay que esperar. No hay otra alternativa. Todos los que no lo miran con esa óptica lo acusan siempre de fatalismo"(6).

Pero monseñor Vera va aún más lejos. Y arriesga una explicación de esta actitud. "La vida —dice— es simplemente la vida. En ella no existe nada preestablecido. Fluye según las circunstancias que se presentan y hay muy pocas circunstancias previstas para las cuales hay respuesta desde mucho tiempo atrás. Las circunstancias previsibles ocupan una parte mínima y consecuentemente es absurdo levantar un andamio para un edificio cuya forma se desconoce".

"¿Qué se puede hacer en espera de lo imprevisto? Nada. Seguir viviendo. Cuando no se ha aprisionado la vida dentro de estructuras, se vive con aquello de 'cada día con su afán'. Se vive al día. El paraguayo no se preocupa del mañana. ¿Qué es el mañana? **El mañana no existe; no constituye una realidad. Entonces, ¿para qué ocuparse de él?**"(7).

LA HORA PARAGUAYA

Nos encontramos de nuevo con la concepción del tiempo propia de la cultura paraguaya. Sin tenerla en cuenta, nos quedaríamos con una visión superficial, transferida del etnocentrismo europeo. Ella se limita a calificar como simple haraganería o incompetencia militante a las actitudes que hemos descripto. El "karaku" (la médula) del problema está allí mismo, pero para acercarnos a él debemos mirar sin prisas, demorando la mirada, con ojos especulares, sin el soborno de antiparras ni de orejeras.

El "tempo" paraguayo, que ignora a los relojes y almanaques, explica todo lo que hemos recordado. El "tempo" propio se expresa, entre otras cosas, en la célebre "hora paraguaya", que puede ser una hora antes o una después. O tal vez dos. Pero nunca será la hora señalada, aún para la reunión más solemne, rubricada por una tarjeta repleta de escudos y letras doradas. El lenguaje popular se burla de la puntualidad. Un "ñe'enga" muy conocido dice precisamente: **estamos sobre la hora, he'i relo'ári oguapy va'ekue** (estamos sobre la hora, dice el que está sentado sobre un reloj).

El "tempo" no capitulará ante nada. Nada impedirá habilitar los necesarios lapsos consagrados al tereré, medio de socialización propicio al chisme y a la confraternización. Brebaje que tiene un valor similar en la cultura local al que tienen el té inglés, la coca andina o el opio chino. Y que exige, además, sapiencia de herbolario, para evitar la incompatible reunión de "corriales" y "astringentes" en una misma jarra, enfriada con cubos de hielo.

Nadie tiene derecho a indignarse ante la hora paraguaya. Que alguien llegue tarde a una reunión, o al día siguiente, no es un rasgo deliberado de descortesía. Ni un insulto. Ni siquiera un olvido involuntario. Se trata simplemente de que los horarios implacables no pertenecen a nuestra cultura. La desatención a esto suele ser la desesperación de los diplomáticos, cuya logística está preparada para atender recepciones dentro de lapsos predeterminados. Pero, generalmente, todos los comensales llegan una hora después de la indicada y se retiran cuando lo juzgan conveniente. O, mejor, luego de haber agotado los bastimentos, lo cual tiene poco que ver con el momento fijado de antemano para concluir el ágape.

La "hora paraguaya" encierra, pues, secretos que no pueden ser revelados con la primera mirada. Es algo mucho más profundo que la simple actitud del holgazán que abomina del trabajo. Estamos frente a una estructura mental profundamente arraigada cuyas oscuras motivaciones deben ser buscadas en otros ámbitos. Quizá en esa época difusa que Lucien Levy-Bruhl se complace en describir en su investigación sobre el alma primitiva.

NOTAS

1. "Catecismo político y social, para uso de los alumnos de la Escuela Normal del Paraguay", editado por la Imprenta Nacional, Asunción, 1855, reproducido en el número 12 de la revista **Cuadernos Republicanos**, Asunción, 1976, p. 175.
2. Id. id.
3. Lao-Tse. **Tao-te-ching** (El libro del recto camino), traducción del inglés de Ch'u ta-Kao, sexta edición de editorial Morata, Madrid, 1983, p. 57.
4. Wilde, Oscar. **Ensayos y diálogos,** traducción de Julio Gómez de la Serna, Hyspamérica ediciones S.A., 1985, p. 295.
5. Domínguez, Ramiro. "Glosario del jopara", en **Suplemento antropológico de la Universidad Católica,** Vol. XIII, Nos. 1- 2, diciembre de 1978, p. 273.
6. Vera, Monseñor Saro. "Algunas antinomias del paraguayo", en **El Diario Noticias,** Asunción, 28 de mayo de 1987.
7. Id. id.

XIV

LA DOCTRINA DEL "CHAKE" E INSTRUCCIONES SOBRE COMO NO PISAR UNA "MBOICHINI"

NO HAY LUGAR PARA EL VYRO CHALECO

Mantener en funcionamiento un sistema de poder económico y social requiere —siempre— de un aparato represor. Así entre los esquimales como entre los neoyorquinos. La anterior mención de la ley del "Mbarete" podría conducir, sin embargo, a la errónea conclusión de que existe una práctica rutinaria de la violencia ostensiva de unos sobre otros. La realidad ofrece matices más sutiles, más rebuscados del control social. Lo que se nota en ella es una violencia larvada, latente, solapada, que se sustenta sobre insinuaciones y medias palabras, sobre sugestiones e inferencias.

Para mantener "alineada" a la gente, se cuenta con el infalible y disuasivo **cháke**, interjección que quiere decir ¡alto!, ¡cuidado!, ¡atención!, ¡peligro!, ¡stop! ¡verboten! todo junto. Es una expresión apropiada para poner sobre aviso a quien está a punto de descender un pie sobre una serpiente de cascabel. El ominoso "cháke" llena la vida cotidiana con sus advertencias; con su rojo color de alarma inminente; con su sonido de sirena de bombardeo; con su guiño de señalización de un campo minado; con su calavera sonriente sobre dos tibias cruzadas alertando sobre la letalidad de un producto químico.

Es que, y esto no hay que olvidarlo, el paraguayo sabe que no hay que desafiar al peligro. Los **ñe'ēnga** y toda la sabiduría popular abundan en advertencias de ese tipo: "No hay que remar contra la corriente", dice uno de ellos. **Falta envido ha Comisiómpe na entéroi oñeplanta** ("no todos se plantan ante la falta envido ni la comisión"). **Aníke repyvoi káva raitýre** ("no patees el nido de las avispas"), enseña otro. Y otro, no menos significativo: **Aníke repyvoi jaguarete jurúre** (No patees a las fauces de un tigre), con su versión parecida: **Aníke repyrŭti jaguarete ruguáire** (No pises la cola del tigre).

Una larga sabiduría, seguramente avalada por siglos de experiencia, insiste en la prudencia; en la meditación previa de cada acto; en el análisis de cada paso próximo; en la serena "semblanteada" del interlocutor, para descubrir sus debilidades y detectar sus puntos más fortificados. La astucia del zorro, el sigilo de la serpiente, la paciencia del caracol son virtudes nacionales por excelencia, arraigadas en el alma del pueblo. La temeridad, conducta extraña a la práctica social, aunque admirada, carece de seguidores.

INSTRUMENTOS TIPICOS

Para que pueda prosperar el "cháke" se requiere no sólo de palabras, aunque estas no dejen de ser importantes. Hacen falta también algunos instrumentos, refinados por el empleo de siglos, y cuya eficacia ha sido probada hasta el hartazgo por la experiencia. Si bien la Antropología ha clasificado, en monografías de subida ciencia, una serie de estos artefactos, no resistiré a la tentación de mencionarlos nuevamente. Aunque sea para ilustración de los profanos que deseen adentrarse en los secretos de esta disciplina de vital relevancia en los asuntos humanos.

Los instrumentos descubiertos por los investigadores son, básicamente, tres: la eficaz y omnipresente **vaina,** el letal **kyse yvyra** y la ruidosa y a veces inofensiva **lata.** Algunos ejemplares pueden ser admirados en el magnífico museo antropológico de la Fundación "Andrés Barbero" de Asunción.

Existen descripciones detalladas de todos estos instrumentos, además de otros, también desarrollados por nuestros conciudadanos. La doctora Branislava Susnik consagró a su descripción una jugosa monografía, de consulta obligada para quienes pretendan una información más detallada. No obstante, sin necesidad de abundar en la siempre farragosa terminología científica, resumiré sus características fundamentales:

La **vaina:** estuche o funda de ciertas armas o instrumentos. Se emplea sin su contenido, lo cual permite hacer correr al adversario sin necesidad de efusión de sangre, sin intercambiar machetazos, sin tirotearse con revólveres o metralla y sin arriesgar la piel propia ni poner en peligro la de quien se encuentra en la vereda de enfrente. Su exhibición tiene el efecto de estimular la inmediata reflexión sobre los inconvenientes que ocurrirán ante tales o cuales actitudes. Sin embargo, muchas veces la vaina no sólo está vacía sino que, peor aún, no tiene posibilidad alguna de ser llenada. "Usted no sabe con quién esta tratando", es un típico golpe de vaina. Apela a la presumible ignorancia del otro, quien difícilmente sabrá que, en realidad, está platicando con un pelafustán.

El **kyse yvyra** (cuchillo de madera): tiene un objetivo similar, si bien en este caso ya nos encontramos con un remedo de arma antes que con su estuche. El arma punzo-cortante no puede causar heridas por estar confeccionada en madera. Pero, clavada con destreza en un punto vital, produce desaliento, nerviosismo y taquicardia. En el Chaco se lo confecciona en palo santo, con lo que su función bélica recibe como complemento un sano efecto decorativo, que incluye el grato aroma que deja alrededor.

La **lata**: metal de aleación innoble, connota un recipiente vacío y en desuso. Se la emplea a guisa de instrumento a percusión, golpeándola con objetos contundentes tales como garrotes, cachiporras, "avati soka" y cualquier otro objeto que permita arrancarle su peculiar sonido desagradable. Su objetivo es atraer la atención con exceso, despertar la curiosidad, levantar el chisme, acicatear el escándalo, alentar a las cotorras, aturdir a los indiferentes. **Lata pararã** quiere decir, literalmente, estrépito de lata. La alusión es obvia.

"POR SI SEA MAS FEO"

Los actos de temeridad son admirados por el pueblo, pero a nadie se le ocurriría imitarlos. Por el contrario, la pedagogía popular no los ensalza como ejemplos dignos de ser copiados. Sólo en situaciones de guerra internacional parecen romperse los diques de la cautela y se multiplican los casos que pueden ser clasificados como explosiones de temeridad más que como actos de valentía. Pese a que un sabio consejo del Quijote nos dice que "la valentía que se entra en la jurisdicción de la temeridad más tiene de locura que de fortaleza"(1).

Los casos de coraje se repetirán de boca en boca, con silenciosa admiración, pero sin que convoquen a ser emulados. Los comentarios elogiosos a los temerarios se harán a puerta cerrada, previa constatación de que no hay orejas atentas detrás de puertas y ventanas. Porque coraje es el que se practica contra el que tiene el monopolio de la fuerza y corajudo, el que desafía a quien tiene en sus manos los recursos formales y materiales de la violencia.

Ahora bien, cuando estos desafíos ocurren, la respuesta será siempre ejemplar y terminante para no dejar dudas sobre las consecuencias de hacer caso omiso a la autoridad. Es bien conocido el caso de la brutal paliza que personal de la Delegación de Gobierno de Caacupé dio a varios dirigentes del radicalismo auténtico que visitaban a un grupo de conmilitones. Juan Ramírez García, presidente de la seccional colorada de Caacupé, resumió con ese motivo, con la facundia de un diplomático francés, la milenaria doctrina del "cháke". Su arenga puede ser tomada como un modelo en el género, como las Catilinarias y las Filípicas; digna, por eso, de la admiración de los analistas. La pieza oratoria fue pronunciada con motivo de su proclamación como presidente de la seccional, en presencia de las más altas autoridades del partido.

"Le habíamos encargado —dijo este eminente tribuno— que no entrase en la Cordillera, donde la tenemos en tranquilidad, donde está nuestra Virgen. Dónde va a venir para hacer campaña de desorden, para desafiar a las autoridades. Comunista 'avuku oikóva', dónde va a venir a desafiarnos. Ligó la vez pasada en Cabañas [sitio de la golpiza] y se fue a llorar a Asunción. Le acariciaron un poco los muchachos y se fue a llorar por allá. Y que no se le antoje que entre de nuevo. **Nosotros no vamos a ser responsables por su cuerpo;** la'tukumbó je'úro', no vamos a estar responsables, y por si sea más feo no estamos responsables... vamos a apretarles contra las aguas como en el 47"(2). La connotación de "por si sea más feo" es evidente.

CRIMENES POLITICOS

Pese a la densa doctrina de Ramírez García, la violencia directa es la excepción, y no la regla, en la lucha por mantener la célebre "incolumidad" del poder. Los crímenes políticos son infrecuentes y la historia registra muy pocos. De cuando en cuando, repito, ocurre alguna barbaridad, pero generalmente de manera oculta, **ensuguy** (subterránea), sin el escándalo y la publicidad que son buscados anhelosamente en otros países. Y, sobre todo, sin el carácter masivo que dio tan siniestros contornos a la guerra civil española y al "proceso" argentino que tuvo lugar dentro del marco de la llamada "guerra sucia"; tan sucia que hasta ahora no la puede lavar ni el mejor detergente.

El único Presidente de la República asesinado en ejercicio de sus funciones fue Juan Bautista Gill el 12 de abril de 1877, hace más de un siglo. Lo mataron a escopetazos en plena calle. Pero el episodio no dejó escuela. A Cirilo Antonio Rivarola, ex presidente, lo mataron a puñaladas en pleno centro de Asunción, a tiro de piedra del sitio donde se encontraba el Presidente de la República. Eligio Ayala, después de haber dejado la presidencia, también murió en un tiroteo, en el que a su vez no escatimó balazos. Pero el episodio no tuvo connotaciones políticas sino sentimentales. El irascible Ayala no fue capaz de tolerar el condominio, principio aceptado por la civilización contemporánea como un rasgo de elevada cultura. Su muerte fue "cosa de hombres" ("kuimba'e rembiapo").

Algunas que otras atrocidades engalanan, de cuando en cuando, la historia política paraguaya. Pero no son tan espectaculares ni masivas como para que nos horroricemos. El doctor Francia, sobre quien se ha construido toda una leyenda negra, era un monje cartujo en comparación con su contemporáneo Juan Manuel de Rosas, cuyos partidarios degollaron a media Argentina. El propio Cecilio Báez, nada sospechoso de francista, nos dice que "la tiranía de Francia no espanta por el número de los ajusticiados en 1821 y 1822, que, según el testigo imparcial Rengger, fueron cuarenta más o menos"(3). Una pavada en comparación con otros coetáneos de armas tomar.

CONTABILIDAD OREJERA

El medio habitual de certificar la muerte de los enemigos era el cercenamiento de las orejas. De un solo lado, naturalmente, para no dar lugar a confusiones. Una ristra de orejas atravesadas por una cuerda, a manera de cuentas de un collar, es un sistema elocuente y práctico. Más aún para gente que suele deambular dentro de la clasificación estadística del analfabetismo funcional.

Impide fraudes y equivocaciones y asegura una sobria contabilidad de los difuntos. No hay posibilidades de cometer errores en la suma y hasta soslaya el previsible problema de que el ejecutor y quien recibirá la ristra no sepan sumar.

Demostrar la muerte de un hombre exige exhibir su oreja. Por eso, el matador celoso de su tarea hará una promesa profesional: **aguerúta ndéve inambi** (te traeré su oreja). Emiliano R. Fernández, en su célebre canción épica, promete traer la oreja de un sargento boliviano que mató al teniente Rojas Silva. Si se quiere añadir una ventaja más, declaro la que fue relatada por un coleccionista: la oreja sirve de barómetro. Se ablanda cuando se produce un "amenazo" de tormenta.

En casos de inevitable ejecución, se evitarán esfuerzos inútiles, desagradables efusiones de sudor, despilfarro de calorías. Por ejemplo, es práctica común en la ejecución de prisioneros —si hay tiempo suficiente—, ordenar a la víctima que cave su propia fosa (**ojejo'ouka chupe ikuararã**). Cavar impone esfuerzo, hace sudar y hasta ensucia la ropa, lo que añade un inconveniente estético al indeseable desgaste muscular. Transferir el trabajo al futuro difunto no es un desborde de masoquismo sino una prueba de coquetería. Por eso se trata de evitar la menor truculencia posible a estos actos. Después, los cadáveres serán cuidadosamente ocultados a la morbosidad pública.

A veces se opta, claro, por otros métodos, para impedir que los partes vengan plagados de mentiras o exageraciones. Por ejemplo, al general Serrano, ejecutado en la región de Caazapá, le arrancaron la barba, que era su mayor signo de orgullo, para enviarla a Asunción. Era la única manera de certificar su muerte, ya que la larga pilosidad de Serrano le había ganado justa fama. Pero este acto tuvo una finalidad documental antes que constituir un signo de ensañamiento. En la misma época, la oreja de otro general —Emilio Gill— fue el modo de informar a Cirilo Antonio Rivarola, quien organizaba a la sazón un golpe de estado, sobre la muerte de aquel.

Cuando fue ejecutado Adolfo Riquelme luego del combate de Estero Bonete, en 1911, hubo pocas ceremonias. Sólo se le hizo caminar y se le disparó desde atrás. Jamás se encontró el cadáver. El método ganó popularidad en años posteriores bajo distintos gobiernos y partidos hasta el punto de promover la aparición de verdaderos virtuosos. En comparación, Toscanini es poca cosa.

Los indígenas chaqueños coleccionaban cabelleras, igual que ciertas etnias norteamericanas. Pero no encontraron imitadores en los paraguayos. No podía ser, porque tuvieron poco contacto con los españoles. Es que el mestizaje no se produjo entre estos y los chaqueños sino con los guaraníes, principalmente. La cultura de estos era muy distinta de la de los nativos que vivían del otro lado del río, a los que, dicho sea de paso, tenían un enorme miedo.

EL "GUASU API"

Ahora bien, existe un culto —que no es lo mismo que la práctica— de la violencia, que se manifiesta en mil y un aspectos de la vida social y política. No me refiero a la violencia desde arriba sino a la que ocurre esporádicamente en otras zonas de la sociedad, en los niveles inferiores de la pirámide. Ya hemos sugerido que la violencia ejercida desde el poder no tiene como su lógico correlato, a la violencia desde abajo. Ante los agravios, ante la prepotencia, ante la humillación, no habrá una respuesta temeraria. El paraguayo prefiere la búdica espera, pero no para esperar que pase frente a su vereda el cadáver de su enemigo sino para aprovechar la mejor ocasión para el desquite.

Alguna vez girarán los vientos, (áğante ojeréne la yvyty) y lo que estaba arriba quedará abajo y viceversa, se razona con serenidad. Para dejar constancia de que no se olvidan los asuntos pendientes, quedará flotando una frase de latente amenaza, generalmente expresada para sí mismo: **áğante jajotopáne tape po'ípe** (alguna vez nos encontraremos en el sendero angosto).

Si hay prisa por saldar con sangre un baldón intolerable al sentido del honor y de la hombría, se tomará la determinación más apropiada. Nadie espere un riesgoso duelo como el que proponen las películas del "far west", del que se puede salir con la piel agujereada. Para eso fue inventado el eficaz "guasu api" (tiro al venado), que consiste en emboscar al enemigo y dar cuenta de él sin peligro alguno. Desde un sitio seguro, tal vez un matorral al borde de un camino, y con la ayuda de un arma larga —preferentemente el viejo y servicial máuser—, se resolverá el problema. Bastará un tiro para dar al blanco un rápido viaje al más allá.

Un célebre criminal, a quien conocí en la cárcel pública (yo iba como abogado, no como inquilino), me explicaba, con decoro profesional, cómo proceder en estos casos. **Reasegura va'era chupe** (debes asegurarlo), sentenciaba. El trabajo debe ser limpio, sin riesgos inútiles, sin baladronadas tontas. En esta clase de negocios lo que vale es la eficiencia, más que la satisfacción del ego.

NO HAY LUGAR PARA EL "VYRO CHUSCO"

Sólo un insensato vería en esta actitud el feo rostro de la cobardía. En verdad, nadie más que un tonto se expondría a recibir un tiro cuando el objetivo es suprimir a un enemigo del mundo de los vivos. Representar el papel de Cisco Kid es una pérdida de tiempo, propia de un "výro chúsco", un "výro chaleco", o un "výro botõ", calificativos para el se solaza en ostentaciones inútiles.

No debe dejar de captarse el estilo solapado del paraguayo, bien ajeno a las baladronadas del compadrito porteño o del "gaucho matrero", tan gratas a los guionistas de historietas argentinos. Sólo el alcohol homicida de las destilerías clandestinas empujará a cometer intempestivamente un delito de sangre, generalmente como colofón de una disputada partida de truco al gasto o de una gritona "carrera pe".

Es sabido que el proceso de la destilación del alcohol que se consume popularmente deja intactas y activas ciertas sustancias tóxicas que obnubilan totalmente la mente. Ellas son las culpables de la mayor parte de los delitos de este tipo. La sabiduría popular sabe que no son casos atribuibles a la inquina personal o a una larvada premeditación. Son simplemente frutos del alcohol; lo que ocurrió durante la borrachera no genera responsabilidad alguna. (ka'uhápe guare ndoikéi). El hombre no es sino una víctima de la bebida.

"El tipo de machismo de otras comarcas de América —dice Ramiro Domínguez— no es propiamente el concepto del matón criollo, menos ostensible y más efectivo. Casi siempre obra 'poncho guýpe' (bajo capa) y su estilo de atacar es por el 'guasu api' (tiro a distancia) o 'bala pombero' (bala fantasma); pero no teme, en caso necesario, salir a afrontar el peligro y entonces es parco de gestos cuando más temible". (Cfr. E. and H. Service, op. cit., "Foreword")(4).

EL ABACO DE CASCABELES

La aureola de haber matado agranda la figura de un hombre. Le concede prestigio, respetabilidad. En las cárceles, los homicidas se encuentran en la cúspide de la pirámide social; lo mismo ocurre fuera de ella. Cada muerte será anotada escrupulosamente, y de manera simbólica. Toda vida arrancada a su dueño será representada por un **aguai,** cada uno de los cascabeles de la temida "mboichini", una de las serpientes más venenosas del trópico. Estamos lejos aquí de las muescas que, según las noveluchas de "cow boys", grababan los matadores en la culata del revólver.

Tomemos un préstamo de la literatura. "Sistema extraño, pero justo, el de contar los muertos con los cascabeles de la 'mboichini', la más letal de las serpientes del Paraguay. Abaco imaginario, en el que una mano invisible va llevando una sórdida adición de osamentas. Un 'aguai' cuenta una muerte pero también marca una vida, inapelablemente. Tres, tejen un trajinado contubernio con la leyenda. Quien soporta este peso no puede incurrir en vacilaciones, ni siquiera cuando se agitan ante sus ojos los horrores del más allá"(5).

El que mata a una persona no es un criminal. Es víctima de una calamidad, de una desgracia (ojedegracia). El es la víctima y no el que quedó tendido. Casi siempre deberá abandonar su "valle" y buscar refugio en la selva ("ogana ka'aguy"). En su versión moderna, irá a la Argentina, a buscar el fácil anonimato de las villas miseria que oprimen, con su sobrecogedor cinturón de pobreza, a la opulenta Buenos Aires.

Pero estos casos son las excepciones. El hombre común prefiere esperar que las circunstancias sean propicias a la eliminación impune de un enemigo. No es cierto que olvide las ofensas. Las cobrará con intereses indexados, como los que aplican los usureros con credencial llamados bancos. Las guerras civiles proporcionan excelentes pretextos para cobrar viejas cuentas, rumiadas durante años. Si la persona que debe pagarlas es un enemigo político, el asunto quedará resuelto sin problemas. De manera desfavorable, obviamente, a este.

"GAUCHOS" DE AYER Y DE HOY

Una palabra que ha caído algo en desuso, por lo menos en una de sus acepciones, es "gaucho". Designa al hombre de averías, sin querencia conocida, con alguna que otra deuda de sangre. Gente de a caballo, de armas tomar, no pocas veces integrando gavillas, suele ser el centro del culto de la violencia ejercida desde abajo, aunque carente de un programa o de un norte político o social. Esos "gauchos" —a los que nadie sigue— son admirados por la población, callada pero firmemente. Se les presta protección, aunque sea con el silencio, porque es dudoso que se pueda hacerlo de manera directa sin arriesgarse a ser blanco de imprevisibles represalias. La ley de la "Omertá" exige prestar auxilio a quien se halla en pleitos con la policía, a la cual suele tenerse, no pocas veces, más miedo que a los gauchos.

La acepción que permanece hasta hoy de la palabra "gaucho" es la del hombre mujeriego: una especie de Casanova criollo, dueño de una dialéctica almibarada y planeador de tácticas de seducción dignas de un hábil general antes de librar batalla. Pero este gaucho moderno, especialista en triquiñuelas de seductor, tiene muy poco que ver con el otro, el genuino, auroleado por la leyenda que crece detrás.

Esta actitud del pueblo ante los genuinos "gauchos" puede ser ilustrada con numerosos casos. Eric J. Hobsbawn, sociólogo del "bandolerismo social" —"violencia social prerrevolucionaria" la denominó un investigador argentino— rastrea meticulosamente varias historias de "gauchos" célebres. Estos hombres, delincuentes, sanguinarios, enemigos de todo orden y de toda moral, son casi venerados por atribuírseles virtudes de las que carecen, casi con seguridad. Se les supone una especie de hacedores de justicia, desfacedores de entuertos, protectores de viudas y desvalidos y azotes de los poderosos.

Cuando la administración de justicia no provee sino una pálida protección de los derechos, cuando las autoridades se encargan únicamente de abusar del poder en provecho propio, los "bandoleros sociales" aparecen como una especie de brazo armado del pueblo. Quienes se rebelan contra el orden aunque sea delinquiendo, sobre todo con el estilo de los gauchos —del cual Hobsbawn ofrece una nítida tipología—, adquieren la fama de reivindicadores sociales. Es el carácter que les atribuye la imaginación popular, con desesperada ingenuidad.

Uno de los más célebres casos registrados en el Paraguay es el de Regino Vigo, cuyas andanzas determinaron al Gobierno a movilizar en su persecución a un escuadrón de caballería. Operó al frente de su gavilla, con la callada aprobación popular, en una ancha faja entre los ríos Paraná y Tebicuary, y llegó a asaltar obrajes en la provincia argentina de Misiones. Asesinado finalmente por sus propios compañeros, la imaginación colectiva prefirió otra versión: no habría muerto sino que dejó el cadáver de un hombre muy parecido a él para que lo encontraran sus enemigos y quedasen satisfechos. Este engaño le habría permitido huir al Brasil con todo el dinero que había robado. Desde allí seguiría enviando postales y mensajes a sus parientes y amigos.

El caso Vigo llegó a superar los límites de la tradición oral, hecho notable en un pueblo de cultura eminentemente oral como el paraguayo. Se lo menciona en las memorias del General Amancio Pampliega y en las que escribió León Cadogan, aún inéditas. También es objeto de un comentario por parte de Ramiro Domínguez con estas palabras: "Sólo surgió un caso de bandido romántico en la comarca hace más de veinte años, la famosa banda de Vigo en los parajes de Yuty, con eventuales tropelías hacia Yegros y Caazapá, con toda el aura de espanto-admiración popular de la literatura de su tipo. La gente le atribuía un desprendimiento y generosidad sólo concebibles en el prototipo del 'héroe' guardado en el subconsciente popular (Cambell, Joseph, 'The hero whith a thousand faces', Meridian Books, N.Y. 1956). Como en los paradigmas de Cambell, el pueblo sublevó con Vigo todas sus frustraciones y resentimientos, al punto de ser casi imposible recoger el relato escueto de sus fechorías, tan 'reelaboradas' han sido por la imaginación y la piadosa tradición oral. Murió, como todos, con una bala en la espalda disparada por uno de sus secuaces"(6). Precisamente una oreja de Vigo fue dejada en el lugar de su muerte para dejar constancia de su fallecimiento.

EL LIDERAZGO Y EL GARROTE

En el campo político, el liderazgo suele afirmarse con demostraciones de coraje, sobre todo para quien se encuentra en la llanura. Estos actos suelen tener tanta o más importancia que los gestos altruístas o que la formación académica; más fuerza y perdurabilidad que los que se generan desde el poder, donde cunde el estilo clientelista y prebendario. Porque se acaba el poder y se acaba el liderazgo de los "dirigentes por decreto" de los que hablaba Prieto Yegros, perspicaz observador de nuestro folclore cívico. La duración del liderazgo es exactamente igual a la del lapso que duran en sus funciones. El coraje, en cambio, genera adhesiones más consecuentes y a más largo plazo.

El ser valiente ("py'a guasu") es fundamental para asegurar el liderazgo, quizá tanto como el compadrazgo y la red de intereses materiales que se tejen en las organizaciones. La sola sabiduría ("arandu") sirve de muy poco. A los líderes se les perdonará todo, menos la pusilanimidad. Y esto pese a que sus seguidores no moverán un dedo siquiera para acompañar a sus caudillos en un despilfarro de valor personal. Desde prudente distancia, sin riesgo ninguno, exigirán a sus dirigentes que bajen a la arena a disputar con los leones.

Es conocido el caso de organizaciones políticas cuyos liderazgos eran asegurados mediante demostraciones de valor. Si además uno de los candidatos era convocado "manu militari" a la Policía "para averiguaciones" su victoria quedaba garantizada en una asamblea interna del partido. Este problema llegó hasta tal punto que, en vísperas de comicios internos de determinadas agrupaciones, parte de la competición consistía en cuantificar los apresamientos sufridos por los candidatos. Hubo candidato que, desesperado ante el descenso de su popularidad, tuvo que improvisar un mitin en el mercado de Pettirossi, donde pronunció un incendiario discurso. La consecuencia fue la esperada: fue detenido y, naturalmente, ganó las elecciones.

El culto del coraje tiene, como es fácil inferir, sus efectos contraproducentes, ya que abre el camino al poder a prominentes brutos que llevan, como único bagaje intelectual, un mapa de cicatrices en la piel o el número de sus apresamientos. Pero **imérito heta,** (tiene mucho mérito) se explicará sin hesitar ante cualquier objeción contra la ofensiva de estos hombres de Cromagnon, individuos cargados de medallas pero irremediablemente ineptos para funciones más complejas.

NOTAS

1. Cervantes, Miguel de. **Don Quijote de la Mancha,** t. II, Centro Editor de América Latina, Buenos Aires, 1968, p. 105.
2. El **Diario Noticias,** Asunción, 26-IX-88, año VI, No. 4332.
3. Báez, Cecilio. **Ensayo sobre el Dr. Francia y la Dictadura en Sudamérica,** segunda edición, Cromos-Mediterráneo, Asunción, 1985, p. 142.
4. Domínguez, Ramiro. **El valle y la loma. Comunicación en comunidades rurales,** editorial Emasa, Asunción, 1966, p. 78.
5. Vera, Helio. **Angola y otros cuentos,** Aravera, Asunción, 1984, p. 77.
6. Domínguez, Ramiro, ob. cit. p. 78.

XV

LA CULTURA DEL "REQUECHO" Y LOS TRES GESTOS DE JOSE GILL

En la vida social y política paraguaya perduran todavía algunos reflejos de la actitud alerta y desconfiada del cazador-recolector que sabe sobrevivir en un medio hostil. Por eso, ante la incertidumbre, cada uno tomará lo que está más a mano: animales vacunos, vehículos, dinero, combustible, alhajas, armas, ropas, muebles, etcétera. No importará que pertenezcan visiblemente a otra persona y mucho menos al Estado. Lo único que detendrá la depredación será la posibilidad de reacción de la otra parte; la fundada sospecha de que el saqueo no quedará impune.

Un antropólogo deslizaba una explicación racional a esta conducta, de suyo muy común, según pueden dar testimonio quienes frecuentan la historia nacional. Parece que en las sociedades arcaicas no existe el concepto de la propiedad pública como una categoría diferenciada de la del dominio privado. Cada cosa pertenece a todos o a quien se apodere de ella y deja de pertenecerle cuando se la arrebatan de las manos. El estado, las instituciones, la ley, los registros de propiedad, la tipología jurídica que distingue entre bienes públicos y privados, son abstracciones ininteligibles. ¿Cómo puede uno regirse por abstracciones?.

Esto explica la común práctica del **requecho**, palabra que quiere decir lisa y llanamente, sin metáforas abusivas, **agarrar lo que se puede**. El requechero no se deja impresionar por las dimensiones del botín: desde una gallina hasta una licitación, desde un par de botas hasta las acciones de una sociedad. Todo puede ser objeto de su virtuoso ejercicio. El patriótico entusiasmo con que se realiza, le ha asegurado una intensa vigencia en la cultura nacional.

Pero no requechea quien quiere sino quien puede. Hay una lucha tenaz e incesante para conquistar una ubicación desde la cual se pueda requechear sin riesgos. La política suele ser uno, aunque no el único, de los ámbitos preferidos para este deporte popular. Mediante él, hasta pueden darse verdaderos saltos acrobáticos, dignos de las Olimpiadas. Es empleado a manera de excelente pértiga para realizar —requecho mediante— la hazaña de la movilidad vertical ascendente, que lleva de un sólo e intrépido salto a las doradas nubes de la prosperidad. La pértiga asume entonces el papel de varita mágica de Merlín, en manos del ágil deportista. Claro, a veces la política se convierte en encerado tobogán con el cual se desciende raudamente desde las alturas hasta el duro suelo, donde el impacto garantiza un ruidoso golpe abajo y atrás.

El representante de un gobierno extranjero de comienzos de siglo nos dejó este sugestivo comentario: "De hecho, es dudoso que un político de este país no considere la acumulación de fortunas personales a través de recursos oficiales como otra cosa que algo perfectamente legítimo, y como uno de los tantos privilegios del cargo que, para conseguirlo, ha luchado por años, arriesgando su vida y posiblemente gastando una suma no desdeñable de dinero. **Robar al estado no se considera de hecho, de ninguna manera, como robo,** (el subrayado es mío) y si el Presidente y sus ministros no han hecho nada más que seguir un ejemplo bastante en consonancia con las costumbres y tradiciones de esta gente, debe reconocerse que el incremento de los ingresos fiscales es una evidencia, al menos, del hecho de que estos políticos han prevenido que otros sigan su propio ejemplo"(1).

Suscribe esta cáustica valoración Cecil Gosling, cónsul británico en Asunción, desde 1902 hasta 1908, época anarquizada por las disputas entre cívicos y radicales. El texto, de claro objetivo difamatorio contra las virtudes de la raza, está incluido en el informe anual elevado en 1907 a sus superiores, desde esta ciudad. El documento revela a un atento e incansable observador de los turbulentos acontecimientos que se desarrollaban ante sus ojos.

LOS IDEOLOGOS DEL REQUECHO

Es archiconocida la ciceroniana arenga de José Gill, caudillo montonero de larga y ruidosa actuación en la política nacional. Desfallecían sus hombres de hambre y de cansancio antes de un combate que abriría las puertas de no sé qué pueblo y, con ello, la victoria sobre sus enemigos. Un político intentó en vano levantar la moral de la tropa con un discurso en el que les habló de la constitución, de la ley y de imponentes principios. Al constatar la indiferencia general, José Gill no dudó más. Subió sobre una silla y, desde allí, acompañándose de tres gestos significativos les explicó, con la máxima economía de palabras, que al día siguiente entrarían en el pueblo, tal vez Asunción. Y que allí tendrían comida (primer gesto), botín (segundo gesto) y mujeres (tercer gesto). Sus hombres, inflamados hasta el delirio, atropellaron las líneas enemigas con un ímpetu ejemplar que les dio el anhelado triunfo.

En la guerra civil de 1922-23, el ejército rebelde del coronel Adolfo Chirife tuvo que retirarse hacia el Norte, región inhóspita y muy poco poblada. Allí Chirife reorganizó sus fuerzas y comenzó a reclutar hombres para seguir las operaciones. Se presentaron al llamado algunos obrajeros de los yerbales —gente brava y levantisca— quienes, una vez ante el adusto jefe militar, le dijeron sin titubeos que sólo aceptarían enrolarse en esa patriada con una inexcusable condición: **violación ha saqueo libre**. La traducción es innecesaria. Se pedía facultades para requechear a discreción. La aclaración era necesaria, porque por ahí algún jefe imprudente podía intentar racionar estos premios.

Anotaré otra anécdota. Ocurrió en agosto de 1947, y de la siguiente forma, según la memoriosa versión de Oscar Ferreiro. Las tropas gubernistas acababan de entrar en Concepción, ciudad que había sido evacuada por los rebeldes de manera más que apresurada. El comandante de una unidad gubernista recorría los alrededores en un "jeep" cuando se cruzó con una vieja que llevaba, sobre la cabeza y en increíble equilibrio, un enorme receptor de radio, alto y de diseño ojival. Le preguntó a la mujer de dónde venía y esta le replicó: (de la estancia de Zavala. **"Ikyra la saqueo Zavala estánciape". Pero rejapurárõ re hupytyta gueteri**. El saqueo está muy gordo allí; si se apura todavía podría encontrar algo) Saquear esa estancia hubiera sido impensable apenas días antes, pero el carácter de derrotado político que tenía el propietario convirtió a su patrimonio en botón del vencedor.

217

LA FORTUNA NO ESTA EN LOS LIBROS

A propósito de la guerra civil, es bien conocido el lema "no habrá colorado pobre", que inflamó a los partidarios del gobierno del general Morínigo, llevándolos a realizar verdaderas proezas hasta conseguir la victoria. La promesa era obviamente tentadora. Muchos hasta hubieran cruzado el océano en bicicleta. Un antiguo funcionario público recapituló sobre esta eficaz consigna y sobre otros hechos de su vida, en una "solicitada" que dio a conocer al abandonar la codiciada Delegación de Gobierno del Alto Paraná. Natalicio González —explicó— sólo había planteado un orden de prioridades: primero haría ricos a todos los colorados y después a todos los paraguayos.

No sé si la primera parte de la promesa se cumplió con el ex delegado de Gobierno, pero parece que sus correligionarios siguen esperando. Y el resto de los paraguayos también, entre los que se incluye el paciente autor de este ensayo. Pero como decía el popular "slogan" de la lotería: **remuñarõ rehupytýne** (si lo persigues lo alcanzarás). Tronco al fin, un viejo roble partidario (¿por qué roble y no "kurupa'y", "ybyraromĩ" o "yvyrapyã?") del partido se quejaba amargamente hace un par de meses: "En el 47, los que no estaban con nosotros estaban contra nosotros; hoy, los que estaban contra nosotros están entre nosotros y mejor que nosotros". La vida es ingrata, ya se sabe. Cuando condenó a los paraguayos que "no estaban con nosotros" al papel de ciudadanos de segunda, se hubiera acordado de las habilidades de sus compatriotas en sobrevivir —"yvytuismo" mediante— en medio de la borrasca.

Después de la guerra civil, le tocó a uno de sus vencedores ser desalojado, a su vez, del Palacio de López. Una unidad militar cayó como un rayo sobre la residencia presidencial y decidió la suerte del Gobierno sin que hubiese necesidad de combate alguno. Fue un espectáculo ver a los soldados abandonar el lugar con sombreros de copa sobre las gorras o coquetos sombreros de mujer bailoteando sobre las trompetillas de los fusiles. Uno de los jefes de la unidad atacante se llevó el automóvil de uno de los repúblicos defenestrados. Otro se apoderó de la vajilla. Y así por el estilo.

Mientras se realizaba la distribución del "requecho", el único sitio respetado era la enorme biblioteca —templo misterioso y lúgubre—, acosada por anaqueles repletos de libros. Allí se detuvo un oficial, quien se puso a hojear las obras distraídamente, seleccionando algunas con la intención de llevarlas consigo. Su sorpresa fue mayúscula cuando encontró entre las hojas, limpios y planchados, flamantes billetes en moneda extranjera. Uno de los oficiales que pasó de largo ante la biblioteca se quejó después amargamente: "Ava piko oimo'ãta libro pa'úme õiha la plata" (¡Quién hubiera pensado que la plata se encontraría entre los libros!). Tenía razón.

EL PARTIDO DEL PRESUPUESTO

Pero la hacienda ajena es sólo una parte minúscula de la cuestión. El requecho principal está constituido por la hacienda pública. Por su control suspiran los adolescentes, pierden el sueño los estadistas y urden sentidos acrósticos y sonetos los poetas. La hacienda pública es el origen y la raíz de amores retumbantes, angustias atroces, mortales enemistades, pasiones truculentas, dilatadas desdichas, traiciones escandalosas. Es piedra filosofal, rayo láser, lámpara de Aladino, santo Grial, rosa negra, polvo de unicornio, máquina del tiempo, gorra estrellada de Merlín, varita mágica de la bruja de Blanca Nieves.

Rafael Barret observaba que en el Paraguay el único partido es el del presupuesto. Todos los partidos que llegan al gobierno lo adoptan como botín legítimo. Quien tiene las llaves del cofre gana el amor y la lealtad de sus conciudadanos. Por eso se observa aquí un fenómeno inverso al que fatiga los voluminosos textos de Sociología Política: **el poder no desgasta al gobierno sino a la oposición.** Maurice Duverger, célebre tratadista de Sociología Política, quedaría asombrado. El poder engrosa las filas del partido gobernante y debilita las del de oposición, cuyos dirigentes, con una mano atrás y otra adelante, apenas pueden consagrarse a resolver el apasionante teorema de la supervivencia.

El siempre irascible Teodosio González, en páginas que ya superaron largamente el medio siglo, propone una explicación a este fenómeno que desvela a los politólogos. Para él, se trata simplemente de una consecuencia del **"pancismo"**, actitud de una ancha franja de individuos que siguen al gobierno, sea del partido que fuere: "Son los llamados pancistas o gubernistas, que siguen con su adhesión y su voto al sol que más caliente, al árbol que cobija y nada más"(2).

¿Y qué pretendía el ilustre y mentado jurista? ¿Que uno se exponga a los rigores del invierno, a sufrir el castigo implacable de los vientos helados, en la llanura desolada? Allí se sufre la angustia metafísica desatada por la inagotable sequía, la sospecha de que el oasis donde retozan los elegidos de Dios será para siempre inalcanzable. En este lugar —un espejismo atroz para quienes lo saben remoto—, bajo palmeras eternamente verdes, danzarán las odaliscas al son de címbalos y flautas y timbales; el buen vino regará generosamente las copas de los comensales, talladas en cristal. Pero en el miserable arenal el réprobo sólo podrá escarbar, desesperado, en busca de una mezquina gota de agua salobre para engañar la sed. En vez de la música, sus oídos sólo recibirán, de cuando en cuando, en alas del viento calcinante, el repelente gruñido de algún camello lejano.

Quien manda no titubeará en ejercer las prerrogativas inherentes a su cargo, requecho incluido. Empleará el presupuesto estatal como una especie de caja chica para atender gastos de la casa tales como el pago a las empleadas domésticas, choferes, dádivas especiales a paniaguados de su afecto, regalos de Navidad, etcétera. Se extenderá el aura del mando a los parientes cercanos, compadres y otros "arrimados". Muchos de ellos, desde entonces, perderán sus patronímicos para pasar a ser conocidos como "el primo de Fulano", "el sobrino de Mengano" o "el tío de Zutano" o "el compadre de X" o "el peluquero de Perengano".

Es que el requecho, a través de un vasto sistema de vasos comunicantes, llega a todas partes; hasta a músicos, parrilleros, mozos gastronómicos, fabricantes de chorizos, "mbejuseros", choferes, clubes de fútbol, chiperas, sociedades de caridad, "croupiers", mariposas nocturnas, jugadores de fútbol, compositores de caballos y de música, poetastros, etcétera. A veces alguien impugnará las proporciones que tocan a cada escalón inferior, pero siempre goteará algo; y algo es mejor que nada. Y encima mandamos, ¡qué caramba!

"NADIE SEA TAN OSADO..."

¿Raíces indígenas? Puede ser. Detengámonos a husmear en el relato del suspicaz padre Martín Dobrizhoffer, quien ya constató que, "una mano generosa puede más con ellos [los indígenas] que la lengua más elocuente. ¡Que vengan aquí Demóstenes, Cicerón y todo el respetable gremio de los oradores! Podrán hablar a los indios hasta volverse roncos y podrán sus artificios retóricos ser más exquisitos; pero **si vienen con las manos vacías, hablarán a sordos, y toda su fatiga será vana**. Sí, hablarán bien, pero no beneficiarán a sus oyentes, y se darán cuenta, por fin, de que pretendieron sacar agua de una piedra. Pero si alguien lleva regalitos a los indios [¡Ya apareció el requecho!], podrá ser un bruto y aún mudo, más negro que un etíope, y se le escuchará con placer, será amado y los indios le seguirán obedientes a sus órdenes, aunque de seguirlo al infierno se tratara. **"La voluntad de los indios se cautiva no por la elocuencia, sino por la generosidad"** (3).

Pero se puede ir un poco más cerca en el tiempo. El padre Lozano, en su historia de la Revolución Comunera, reproduce la arenga que José de Antequera dirigió a sus hombres antes de un decisivo combate. En ella, además de las presumibles monsergas sobre la justicia de la causa, la legitimidad de los derechos invocados y otras minucias por el estilo, les anunció algo muy importante: si ganaban la batalla, tendrían la posibilidad de saquear "a piacere" los ricos pueblos de las Misiones.

El episodio tiene un eco lejano de otros muchos que se sucedieron a lo largo de siglos. En la época colonial, cada borrascoso incidente político lanzaba a la calle a una ronda malhumorada de hombres armados. Empuñando llameantes hachones y encendidas las mechas de los arcabuces, alertaban a la población con este amenazador grito que llenaba la negra noche: "Nadie sea tan osado de salir de su casa so pena de vida y hacienda perdida". La pérdida de la hacienda suele ser, en efecto, parte del alto precio que se paga por el descenso de las alturas. Por eso, por cada requechero hay un requecheado.

Algún apresurado moralista pontificará sobre corrupción, prebendarismo, clientelismo y todas esas otras monsergas. Me permito advertirle no dejarse aconsejar por las ideas foráneas, que contaminan el espíritu patrio con sus malévolas interpretaciones de la realidad social. Nos encontramos simplemente ante la esencia de la cultura, el "karaku" (médula ósea), "el alma de la raza" de que nos hablaba el maestro Manuel Domínguez.

EL GUATAHA

He dicho que no requechea quien quiere sino quien puede. Cerrado el camino de la movilidad vertical —hacia arriba, por supuesto—, sólo queda la vía de buscar el requecho en otras tierras. Por eso se dice que la movilidad horizontal es también un fenómeno característico del paraguayo. Tanto, que se ha llegado a acuñar la creencia de que existe un verdadero **"ethos del oguatáva"** (el ethos del caminante). Ya hemos dicho que a veces se emigra por razones económicas y a veces por razones obvias. Pero también, quizá, puede haber otras causas más profundas. No olvidemos que nuestros ancestros estaban poseídos por el frenesí de la migración. Los españoles emigraron para buscar la Ciudad de los Césares y la fuente de la Juventud Eterna. Los guaraníes acostumbraban emigrar repentinamente y en forma masiva, al conjuro de sus shamanes, para buscar en el Este, donde sale el sol, la mítica Tierra sin Mal. En ese sitio nebuloso serían abolidas definitivamente todas las limitaciones que aquejan a la miserable condición humana.

La migración actual suele afectar a grupos enteros. Basta que se afinque un paraguayo en un sitio lejano para que comience a llamar a sus amigos y parientes y para que estos, alertados, emprendan el mismo camino. Es conocido el caso de Buenos Aires, en cuyas villas miseria hay más habitantes de determinados pueblos del Paraguay que en donde estos se encuentran geográficamente. Es igualmente célebre el caso de Nueva York, cuya comunidad de nativos de Caraguatay es más numerosa, según dicen, que la que quedó en la patria chica.

Eligio Ayala consagró su talento a reflexionar sobre las migraciones, en una obra escrita en 1912, pero que se editó mucho después. Algunas observaciones de Ayala siguen siendo válidas hasta hoy. Las causas de orden político aparecen en su obra con un papel relevante, tal vez sobredimensionado. Verdaderamente el clima se torna repentinamente insalubre cuando el partido es desalojado del poder o cuando ha fracasado en su intento de tomarlo por la fuerza. Los adherentes no encuentran otro rumbo que el del inmediato y protector exilio.

Ayala observa, sin embargo, que las guerras civiles o los cambios violentos en la cúpula del poder político no explican suficientemente las migraciones. "Las revoluciones —explica— son como un aparato de concentración de **otras causas generales preexistentes;** manifiestan los acontecimientos ya determinados por causas mediatas y más permanentes del malestar social, y a veces son los únicos recursos contra ese malestar"(4).

El abandono del "valle" reconoce también otras causas menores. No falta una minoría de homicidas y cuatreros que, cuando la situación se pone espesa ("haku la yvy"), pone tierra de por medio. "Ogana ka'aguy" (ganó el bosque), se decía en otros tiempos porque nadie iría a buscar al malhechor en región tan peligrosa. Incluyamos, por último, a los que, horas antes de contraer matrimonio, llegan a la conclusión de que tamaño sacrificio de la libertad es injustificable y ponen pies en polvorosa ("ombovu kamisa lómo").

NOTAS

1. Herken, Juan Carlos. **Ferrocarriles, conspiraciones y negocios en el Paraguay,** Arte Nuevo Editores, Asunción, 1984, p. 50.
2. González, Teodosio. **Infortunios del Paraguay,** Talleres Gráficos Argentinos L. J. Rosso, Buenos Aires, 1931, p. 561.
3. Dobrizhoffer Martín. Fragmento de "Historia de los abipones" en **Tres encuentros con América,** traducción, edición y notas de Arturo Nagy y F. P. Maricevich, editorial del Centenario, Asunción, 1967, p. 87.
4. Ayala, Eligio. **Migraciones,** Santiago de Chile, 1941, pp. 56, 7.

XVI

LA TRADICION DEL "POKARE" Y TECNICAS DIVERSAS DE ALTERACION DE LAS SUPERFICIES SUSTENTANTES JUNTO CON ALGUNAS PROPOSICIONES METAFISICAS

TECNICA DEL SERRUCHO

Ya hemos visto que se prefieren evitar los rigores inútiles, las violencias innecesarias. El omnipresente "cháke" actúa como un eficaz disuasivo para desalentar a los protestones y mantener a cada molécula en su sitio, a cada diente en su alvéolo, a cada chancho en su estaca. Al imprudente que olvide tan sabia cuan arraigada doctrina se le espetará el amenazador y paralizante "issshhhhh", de tan congelantes efectos como el seco cascabeleo de la "mboichiní".

Solo cuando el "cháke" no ejerce su papel de disuasivo espiritual, se acude a otros medios más contundentes. Por eso Guido Rodríguez-Alcalá no vacila en atribuir status filosófico a la cachiporra, por su misión teológica de distinguir lo verdadero de lo falso. "No usamos piedra de toque sino palo de toque", medita el ensayista, quien concluye que "la historia paraguaya ha sido, mayormente, la historia de la policía. **Cachiporra longa, vita brevis**"(1).

En la lucha por el poder, como no dejarán de apreciar los estudiosos de la historia política, son infrecuentes los períodos de anarquía. Se pueden señalar, históricamente, muy pocos: el que siguió a la retirada de las tropas brasileñas de ocupación hasta la llegada al poder de Cándido Bareiro (1876-1880); el que siguió a la victoria liberal en 1904 y terminó con el comienzo de la "pax schaerista"; el lapso que desembocó en la guerra civil de 1922-23 y el que siguió a la victoria colorada en la guerra civil de 1947 y concluyó con la elevación al mando presidencial de Federico Chaves.

Es cierto, hubo golpes de estado, conspiraciones, asonadas, intentonas, etcétera, pero los períodos de estabilidad política son suficientemente largos como para autorizarnos a afirmar que vivimos en medio de una relativa paz. Un aviso comercial de comienzos de siglo decía —en un país vecino— de cierto ventilador que tenía "más revoluciones que el Paraguay". La Intención peyorativa era obvia. La Historia demostró que el "slogan" debería aplicarse, con mucha más justicia, a aquel país.

Ya dijimos que la violencia no es el recurso político por antonomasia. El lector no debe impresionarse ante bizarros gritos de guerra que parecerían sugerir lo contrario. Por ejemplo, el que lanzó un eminente repúblico hace poco ante un azorado auditorio: "a balazos subimos y balazos nos habrán de quitar". En realidad, esta proclama no debe interpretarse sino como una de las modalidades del "cháke", uno de los dialectos del universal lenguaje de la vaina.

La memoria colectiva registra pocos casos de ferocidad política masiva o de intrepidez hidalga. De lo primero, Teodosio González no titubea en reconocernos ese mérito. En cuanto a lo segundo, un caso omnipresente es el del Coronel Albino Jara, que consagró sus conocimientos de artillería al alegre oficio de derrocar gobiernos. "Aipóvapa ára terāpa Jara" (¿Será eso el tiempo o Jara?) se interrogan todavía hoy los arrieros entre sí al escuchar el lejano retumbo del trueno.

ARQUEOLOGIA DEL "POKARE"

En la lucha por el poder, el medio por excelencia es el "pokaré", el cual, por su generalizada vigencia, merece un análisis más detenido. Según Marco Antonio Laconich, el iniciador del "pokaré" (strictu sensu: mano torcida) fue nada menos que Domingo Martínez de Irala, llamado también "el mañoso". Como dice el historiador, "quizá con razón, porque en lo de tener escrúpulos no era un prócer de su época. Si no fuese por el temor de arriesgarse más de la cuenta en los juicios, casi le tendríamos por el precursor más aparente del pokaré paraguayo, o sea el manejarse por caminos torcidos en lo que concierne a la política. En lo cual este Domingo Martínez de Irala se distinguió tanto, como ha de verse, que más de uno convendrá con nosotros en que, maguer los cuatrocientos y tantos años que desde él han corrido hasta el presente, muchos podrán haberle igualado, pero sin aventajarle ninguno en el aludido pokarē, mezcla de astucia aldeana, descaro, cinismo y traición, que por lo antiguo y persistente se ha vuelto principio"(2).

El recuento de los golpes de estado es pródigo en estos ejercicios de astucia criolla. El "pokarẽ" es la regla en los golpes de estado; el "pronunciamiento", la excepción. El primer golpe de estado, en la noche seguramente fresca del 25 de abril de 1544, fue consumado mediante un típico acto de "pokarẽ". Un traidor abrió a los conspiradores la puerta trasera de la casa del gobernador Alvar Núñez Cabeza de Vaca, quien despertó rodeado de sus enemigos, las ballestas apuntándole el pecho. Siempre hay alguien dispuesto a abrir esa puerta desguarnecida en la seguridad cómplice de la noche.

La llamada "era constitucional" comenzó con un ejemplo típico. La Convención Constituyente designó presidente al doctor Facundo Machaín. Este fue a dormir creyéndose triunfador. Mientras, sus enemigos tramaban su derrocamiento, con ayuda de las fuerzas de ocupación. Cuando amaneció, ya había perdido el cargo. No duró veinticuatro horas. Quien lo derrocó —Cirilo Antonio Rivarola— corrió igual suerte. Se creyó tan dueño de la situación que incurrió en otra ingenuidad: la de renunciar al cargo, creyendo que el Congreso le confirmaría inmediatamente. Quedó helado cuando la renuncia fue aceptada.

Pocos años después falleció un Presidente de la República: don Cándido Bareiro. Debía sucederle su vicepresidente, don Adolfo Saguier. Este fue convocado al Cuartel de Policía para discutir la situación y, cuando llegó, fue detenido; asumió el General Bernardino Caballero. En agosto de 1937, al Coronel Rafael Franco le hicieron comulgar con ruedas de molino. Los rebeldes le convencieron nada menos de que se habían levantado en armas para robustecer su liderazgo y que sólo objetaban su gabinete; es obvia la suerte que corrió. En 1949, al General Raimundo Rolón le hicieron otra sonada jugarreta. Le invitaron a una fiesta en la guarnición de Paraguarí. Se le habrá estrangulado la carne asada en el esófago cuando se enteró de que era prisionero.

EL PICARO COMO PARADIGMA

En alguna parte he leído que el japonés tiene tres almas. Una de ellas es la que ven los demás, pero las otras las tiene bien adentro. El paraguayo tendrá otras tantas, para lo cual ha cultivado, como pocos pueblos, el "tova mokõi" (doble cara), que lo pone al resguardo de eventuales terremotos e inesperados ciclones. Por eso maniobra "ensuguy" (subterráneamente), sin espectacularidad, pero con temible eficiencia.

El "pokarẽ" es parte de un conjunto de valores propios de una cultura que prefiere valorizar la astucia sobre el coraje. Sobreviviente por instinto, como lo es, el paraguayo preferirá siempre los sigilos del zorro a las feroces baladronadas del tigre. Su táctica será la del "ñuhã" (trampa para animales) antes que el empeño temerario en una patriada sin horizontes.

En la literatura oral del pueblo, el personaje central es Perú Rima. Sus simpáticas hazañas se cuentan de boca en boca. Héroe de la picaresca, es fidedigna versión paraguaya del Pedro Urdemales de la tradición medieval española. Perú siempre consigue imponerse a fuerza de astucia; jamás por la fuerza. Pone en ridículo, con sus triquiñuelas, al rey y a sus representantes, incluso al propio obispo. Y termina casándose con la princesa, con lo que descubrimos de paso que la institución del "braguetazo" responde a una antiquísima tradición.

¿Quién era Pedro Urdemales? Presentemos a este desconcertante caballero, paradigma medieval del pícaro, con sus propias palabras, tal como las escribe Cervantes: "Yo soy hijo de la piedra/ que padre no conoció/ desdicha de las mayores/ que a un hombre pueden venir./ No sé dónde me criaron;/ pero sé decir que fuí/ de estos niños de doctrina/ sarnosos que hay por ahí./ Allí, con dieta y azotes,/ que siempre sobran allí/ aprendí las oraciones/ y a tener hambre aprendí;/ aunque también con aquesto/ supe leer y escribir,/ y supe hurtar la limosna/ y disculparme y mentir.(...) Y a las Indias fuí y volví/ vestido de pez y angeo/ y sin un maravedí"(3).

Otro conspicuo personaje de la literatura folclórica es el "Pychaĩchi", pelafustán lleno de piques o niguas —"pique" es un paraguayismo todavía proscripto en el Diccionario de la Lengua Española—, individuo miserable y un poco tonto, que siempre hace lo que no debe. En él, el paraguayo se retrata un poco, como si estuviera mirándose en el espejo para burlarse de sí mismo. Esta burla autocompasiva es actitud muy frecuente que se ejercita agregando exageraciones que acentúen la ridiculez de la situación negativa que aflige al protagonista-relator. Humor que, además, tiene una fuerte carga de resignación ante la suerte que le ha tocado al individuo: "A mí me tenía que pasar" (chemíro g̃uara).

Como objeto de imitación el modelo será siempre Perú Rima. El Quijote, con su despilfarro de arrojo y desprendimiento, no ha creado escuela ni convocado a ningún discípulo. Está generalmente condenado al fracaso. La intrepidez, si bien ha hecho ocasionalmente historia, termina siempre agotándose en el aire, como un relámpago. Justo Pastor Benítez, que bastante sabía con qué bueyes araba cayó, sin embargo, en un inexplicable error: "Nunca he creído en el triunfo de los vivos. Pronto se los descubre, se los desenmascara. Desafío a que me citen un triunfo permanente de los vivos"(4). Este ensayo exige brevedad, por lo que sería muy oneroso polemizar con el autor de "El solar guaraní" reproduciendo una lista que no cabría en la Enciclopedia Británica.

SIMULACION Y MIMETISMO

Las pautas miméticas típicas del camaleón, bicho de hábitos cromáticos, son rutinarios mecanismos de supervivencia. La incomprensión ha castigado muchas veces a esta práctica cuyo objetivo central es preservar la propia existencia, individual y grupal. El camaleón se pone así al abrigo de los caprichos de la naturaleza y del comprensible malhumor de los poderosos — poderosos política, social, económica y hasta mágicamente—, individuos abrumados por el trabajo incesante, dispepsias, jaquecas, estreñimientos y el poco sueño que caracterizan a su consagración a la patria. Proclives, por consiguiente, a ser presas de esporádicos lapsos de intolerancia.

González Torres, que parece conocer bastante de ésto, dice que "la simulación o la imitación son legítimas, son fenómenos normales, como proceso de adaptación; debe ser discreta, episódica, como recurso amenizante del convivir en sociedad, para adaptarse a las normas y preceptos de las costumbres, tradiciones y leyes. No así la simulación como hábito vicioso, de astucia, como recurso sistemático y permanente para aparentar lo que no se es, para gozar y adquirir ventajas, posiciones, para imponerse; cuando no se tienen ni fuerzas ni cualidades para tales fines, cuando no se puede competir mano a mano con los individuos mejor dotados, y adaptados, de personalidad equilibrada... La imitación y la simulación no son caracteres solamente humanos, sino universales, pues están extendidos en la naturaleza; y lo llaman mimetismo. Este fenómeno es observado en los animales (el camaleón es un ejemplo típico) y plantas por imperativo biológico y modo de adaptación vital o de defensa, y tiene sus leyes"(5).

En el proceso social, esta práctica recibe el nombre vernáculo de **yvytuismo** (strictu sensu=estar a favor del viento que sopla). El paraguayo tiene una fina percepción para intuir el más leve cambio del humor de Eolo. En ella se combinan la tecnología de la NASA, la mítica visión del lince y el olfato legendario del perdiguero. Con ella se adaptará con habilidad a los más inesperados cambios de viento. Tras un rápido cambio de la orientación del velamen seguirá navegando airosamente. Lo verán, erguido y majestuoso surcar el mar insondable, en medio de la más feroz tormenta.

Todo es cuestión de adherir fervorosamente a la corriente eólica predominante. No hay nada de malo en esto, ya que las reglas de juego no admiten otro camino, salvo el de la emigración. Por eso no debe extrañar que, de la noche a la mañana, alguien que haya sido un empecinado liberal amanezca más colorado que el General Bernardino Caballero. Cuando los cambios ocurren dentro de las corrientes internas de un partido son aún más asombrosos que las mutaciones biológicas producidas por la bomba atómica. Es curioso —debe deberse a uno de esos raros caprichos estadísticos— que estos cambios tienen siempre una sola dirección: de la oposición al gobierno.

EL DESPRECIADO "MBATARA"

Algunos —los menos— rechazan con púdica indignación estas pautas de pura supervivencia. Son, por cierto, seres que desprecian la cultura nacional. Abundan en palabras peyorativas como **mbatara** (gallina con plumas de varios colores) o **hyekue jere** (estómago dado vuelta). Esta actitud es común en quienes se sienten desplazados (del hospitalario presupuesto) contra los que fueron bruscamente acogidos por él. Pero son los menos. La mayoría acepta, con filosófica resignación, que estas repentinas transformaciones son acontecimientos propios de la vida. Al fin de cuentas, como reza un proverbio popular: **tojehecha ipartído peteĩva** (que se vea el que tiene un sólo partido).

Ya hemos citado a Teodosio González quien, con sus impíos vituperios al "pancismo", desconoce deliberadamente lo que no es sino una sana práctica de supervivencia. Por eso no deben escandalizar estos repentinos golpes de timón. No tenemos derecho a declararnos ofendidos ni estupefactos ante tales cambios. Ellos forman como una segunda naturaleza de la raza. Si el Paraguay estuviese en otro continente veríamos virajes aún más magistrales: más de un conspicuo personaje del momento se convertiría sin hesitar en un hosco comisario político soviético. En vez del poncho republicano y del sombrero "pirí", lo veríamos coquetamente ataviado con un gorro de piel de oso siberiano sobre el que brillarían agresivamente la hoz y el martillo, el emblema bolchevique.

Releamos a Ramiro Domínguez. "En este nuevo proceso de adecuación, más ético que económico, del 'koyguá' paraguayo al contexto urbano, se perciben frecuentes registros diacrónicos de 'frustración, enmascaramiento, rechazo o conflicto'. En una monografía inédita que nos ha confiado el antropólogo Michael Yates acota que en las áreas rurales del Paraguay actual, ser 'colorado' para el campesino sería ante todo un recurso de enmascaramiento y un esquema de seguridad personal (Cf. M. Yates. "An analysis of Factors Affecting Economic Behavior in Rural Paraguay" Columbia Univ. N. Y. mimeografiado). Otro tanto cabría decir ante ciertas evidencias de la evangelización colonial, en las cuales habría suficientes indicadores de que el indio se cobijó bajo el rol de prosélito y 'cristiano' también como un esquema defensivo, de cualquier modo, con vicario y resbaladizo sentido semántico. Véase si no, el término genérico cristiano de la vernácula para referirse a ser humano contrapuesto a los antagónicos 'ava', 'ava reko', 'ava ñe'ẽ', (salvaje, costumbres salvajes, lenguaje salvaje. Cfr. su valor etimológico de hombre-varón, strictu-sensu)... (6).

Surge entonces que la práctica mimética y el "yvytuismo" responden a patrones que vienen de muy antiguo. Tienen sus raíces y su justificación histórica en la época colonial. No son solamente, como creen quienes piensan con mala fe, actitudes deliberadamente opuestas a la ética, sino necesarias formas de defensa y de supervivencia con venerables raíces. Se emplean no sólo en el campo sino también en la ciudad, donde cobran dimensiones verdaderamente masivas.

VIRTUOSOS DEL CEPILLO Y MONTAÑISTAS

El "yvytuísmo" sería inconcebible si sus poseedores no tuviesen un bien nutrido parque de guerra. Comencemos por la descripción de uno de sus artefactos de combate: el **cepillo**, instrumento bélico de excepcional versatilidad, insustituible para estos menesteres. Puesto al servicio del "mongele'e" (halago), obra hazañas estupendas. La historia documenta ejemplos impresionantes de habilidad con este instrumento. Citaré algunos casos.

Emiliano R. Fernández, el más famoso de nuestros poetas populares, no dejó un solo presidente de la República sin prodigarle sahumerios y celebrarlo como la propia encarnación de la patria. Individuos tan disímiles como José P. Guggiari, Rafael Franco, José Félix Estigarribia y creo que hasta Higinio Morínigo, recibieron sus correspondientes pases de cepillo. En versos impecables, claro está.

Arturo Bray, cuyo veneno parece inagotable, recuerda la ferocidad con que O'Leary combatía a Eusebio Ayala, aullando en plena calle Palma: "¡Ese judío va a vender todo nuestro Chaco!" Pero Ayala se convirtió de pronto en presidente electo y, por consiguiente, en contralor de las llaves del pucheroducto. Y llegó el día en que retornó a Asunción para hacerse cargo de sus funciones. "Fue O'Leary el primero en precipitarse a su encuentro con los brazos abiertos, diciendo a gritos: ¡Doctor Ayala! ¡Qué bien está usted! ¡Parece que vuelve rejuvenecido!"(7). Estoy seguro de que O'Leary habrá dejado caer un sollozo estremecedor sobre la planchada, de tanta emoción.

Pero el cepillo, sólo, carecería de eficacia. Requiere de otros utensilios y cachivaches indispensables, sin los cuales sería inocuo. Me refiero al equipo del resuelto montañista, que habilita para realizar avances espectaculares; hacia arriba, se entiende. Una cúspide andina, un risco del Himalaya, un ventisquero de los

Alpes, nada detendrá a nuestros impetuosos escaladores en su marcha indomeñable hacia las alturas. Una vez allí, luego de clavar la bandera triunfante sobre el esquivo suelo, se aferrarán a la superficie con la frenética intrepidez con que la ladilla ("kype", en vernáculo) se abraza a la temblorosa carne púbica.

ANTEBRAZOS IDEALES

Trepar no es tarea que exija un esfuerzo sobrehumano, porque el paraguayo está dotado biológicamente para ello. Su contextura ósea le hace fácil realizar, brillantemente, cabriolas imposibles para otras razas. La Naturaleza ha sido, pues, generosa. En la trepada, exhibe destrezas propias de un virtuoso, un Paganini de la escala ascendente que, con sucesivos saltos acrobáticos, puede encamarse en poco tiempo en los niveles superiores.

Consta el indubitable testimonio de Luigi Miraglia, quien realizó un estudio sobre las características antropométricas de los Guayakí, indígenas pertenecientes al tronco lingüístico guaraní. Su informe coincide, en sus conclusiones, con el de Ten Kate. En síntesis, el Guayakí tiene un antebrazo desproporcionadamente largo (dolicoquérquico), ideal para la trepada. "Es un carácter de adaptación funcional —reflexiona Miraglia— que los monos antropomorfos tienen en común con los Guayakí, los Babinga del Congo, los Andamanes de las islas homónimas, los Sajai de la península de Malaca y los Aeta de las islas Filipinas, todos cazadores primitivos que, para la recolección de fruta y miel, trepan continuamente a los árboles"(8).

El autor insiste y afirma que el Guayakí posee los índices radio-humerales más altos de la especie humana. Es que la función hace al órgano, como lo explicó Darwin. Se alargan los brazos porque hay necesidad de trepar. A medida que disminuye el índice radio-humeral, disminuye la capacidad de trepar. ¿Quién se atrevería a discutir que, a través de los insondables mejunjes producidos por el mestizaje, esta característica inicialmente antropométrica no se haya transmutado en un rasgo cultural de meritoria solera?

TECNICA DEL SERRUCHO

Este resumen de instrumentos no puede omitir al aclamado serrucho, que cumple una función de insustituible complemento de los que hemos citado anteriormente. Admitiré la pobreza de este catálogo, que omite muchos otros que merecerían densas monografías, como el anzuelo (pinda), la trampa (ñuhã), el hacha, el machete y otros de no menor utilidad. Por razones de espacio, me limitaré a describir el serrucho, siguiendo paso a paso la descripción que de él y de su uso hace el célebre Hans Christian Towersen, en su voluminoso tratado "Metafísica del serrucho y técnicas de aplicación en climas tropicales" (edición limitada, N.Y. 1989).

Miguel Brascó —citado por Towersen— define: "La técnica del serruchaje o actividad erosiva de las superficies horizontales sustentantes, se funda en el aprovechamiento inteligente, en detrimento de nuestros adversarios, de uno de los factores más poderosos que actúan en la naturaleza: la fuerza de gravitación universal, irresistible tendencia que domina a los cuerpos en el espacio, impulsándolos a caer con ímpetu contra la superficie de otros objetos más voluminosos".

"Todo lo que sube, tiende a caer", reflexiona maduramente Towersen. Cae el coco del cocotero, cae la lluvia del cielo, cae el aerolito del espacio exterior. Todo el universo corrobora, con la majestuosa armonía de la música de las esferas, que las cosas tienen que caer para que ocurra el sacro equilibrio. Ayudar a que la manzana de Newton cumpla su misión es seguir el plan de Dios; es cooperar con los designios de la divinidad rigurosamente pronosticados en los milenarios y certeros textos de la tradición sagrada.

VIRTUOSOS VERSUS SERRUCHADORES DE OIDO

Pero secundar al plan divino no es fácil. Exige disciplina, destreza, intuición, capacidad de planeamiento, amor al serrucho. No son virtudes que puedan reunirse, todas juntas, en una sóla persona, salvo excepciones gloriosas. Generalmente se hallan dispersas, distribuidas desigualmente en la geografía humana. Prueba una más de la sabiduría del Creador quien, en su infinita bondad y penetración —Alá es grande y misericordioso— comprende lo atroz que sería una sociedad poblada únicamente por serruchadores insignes. No podría funcionar. Sería simplemente el caos.

Un serrucho reclama delicadezas que no tiene cualquiera: la manipulación paciente del artesano, el oído educado de un director de orquesta, la tenacidad de una hormiga, la fuerza de un estibador. Previamente se deben verificar meticulosamente la textura y la consistencia de las superficies sustentantes que recibirán el sigiloso movimiento de vaivén de los afilados dientes. Se deben descubrir fisuras, adivinar grietas, explorar zonas desguarnecidas, eludir áreas intactas. Sólo entonces la labor dentada podrá desarrollarse con garantías, mordiendo la materia con fruicción, como se paladea una manzana de Río Negro. El resultado final será, tras un sordo crujido, el raudo descenso de una anatomía hacia el vacío, luego de desaparecer repentinamente el piso bajo los pies. Se oirá, finalmente, lejana y borrosa, una música celestial: el sonido que produce el cuerpo al estrellarse contra otra superficie.

Es importante repetir que el serruchaje exige destrezas muy especiales. El serruchador de oído suele terminar en el fracaso más escandaloso y no pocas veces es víctima, a su vez, de su propia mordida. Se cumple así el aforismo" "a todo terrorista, tarde o temprano, le explota la bomba en la mano". O, en otras palabras, "a todo serruchador le espera una serruchada". O, más folclóricamente, **ho'a ipysãre hihachakue** (le cayó encima de los dedos del pie su propia hacha). Claro que estamos hablando de quienes trabajan de oído y terminan cortándose con el instrumento.

Hay varias técnicas analizadas por Brascó y codificadas por Towersen tras una rigurosa experimentación. Una de ellas es la de la **Divina Providencia,** que ciega previamente a quien se quiere perder. Se atiborra el ego de la víctima exagerando la estabilidad de su posición, sobredimensionando la dureza de la superficie sustentante. Se la empuja a decisiones torpes, a pasos ridículos, alentándola con frases retumbantes como "¡de los cobardes no se acuerda la historia!", o "la fortuna ayuda a los audaces", "¡hasta vencer o morir!" y otras arengas por el estilo. Quien se deje cautivar por estas proclamas será pasto del serruchador.

Otra técnica es la del **Petardo Retardado**. Consiste en dejar cotidianamente en el oído de alguien —jefe, superior, líder— la palabra precisa para motivar su inquina y reiterarla con cronológica precisión. Palabras adecuadas a esta técnica son estas: "Fulano es un buen tipo pero no moja la camiseta". O "Mengano es formidable pero no se siente identificado con la empresa". La acumulación de material explosivo se hará con lentitud, con paciencia. Pero cuando se haya completado, sólo requerirá de una pequeña condición propicia: un aumento de la humedad, mayor presión atmosférica, un chiste inoportuno. Será el momento esperado. El petardo estallará fragorosamente y convertirá en polvo a la víctima elegida.

ARTESANIA CONTRA TECNOCRACIA

El desarrollo tecnológico paraguayo ha desplazado —no hay que olvidarlo— al serrucho tradicional de una sola hoja dentada, con su musical chaca-chaca-chaca. Los virtuosos buscan fórmulas asociativas, más propias de sociedades desarrolladas: la cooperativa, la sociedad en comandita, la mutual. Otros han resucitado la antigua "minga" de la tradición indígena: hoy serruchamos por mí, mañana por ti.

Se ha dado un paso más con la adopción del **tronsador**, con el que se trabaja a dos manos. Algunos —ciertamente los menos-, han caído en la abominable tentación de substituir los instrumentos manuales, que tienen el vagaroso sabor de la artesanía popular, por engendros tales como la infernal motosierra, con su fatídico "ñiiiiiiiiiiiiiiiiiiiiii". Otros, sin conmiseración alguna, han optado por la mastodóntica topadora que arrasa todo a su paso. Son capitulaciones deplorables que desdibujan la identidad nacional. Concitan nuestro apresurado repudio patriótico y nuestra insobornable reivindicación de las tradiciones artesanales.

Towersen, hay que reconocerlo, es un virtuoso de los de antes, paciente y tenaz. Su técnica ha sido recibida con desaforado interés en el exterior. Se trata de una adaptación moderna de la antigua y celebrada rutina conocida como la Gota de Agua, que muerde un milímetro hoy y otro mañana. Finalmente, como el corolario de una sinfonía, llegará el resultado. Bastaría un suave empujón, tal vez un simple y afectuoso palmoteo, para que el serruchado se precipite raudamente al vacío. Ni siquiera un piso de quebracho alfombrado con una lámina de acero, con su conocido coeficiente de inmunidad, impedirá el éxito fragoroso. Con impropia humildad, Towersen cavila en el capítulo final de su revelador Tratado: "Verdaderamente no somos nada" y "no se puede hacer nada contra el destino". No hay peor vanidad que la falsa modestia.

NOTAS

1. Rodríguez Alcalá, Guido. "La cachiporra filosófica", en **Hoy**, 30-X-88, N° 4105, p. 16.
2. Laconich, Marco Antonio. **Caudillos de la conquista. Romance de una cédula real,** editorial Yegros, Buenos Aires, 1948, p. 29.
3. Cervantes, Miguel de. "Pedro de Urdemales" en **Obras completas de Miguel de Cervantes,** Aguilar, Madrid, 1956, p. 510.
4. Benítez, Justo Pastor. **Cuadernos de Peña Hermosa y otros escritos,** prólogo de Salvador Villagra Maffiodo, editorial Ara Vera, Asunción, 1984, 131.
5. González Torres, Dionisio, ob. cit. p. 170.
6. Domínguez, Ramiro. **Creencias populares en el contexto de la religiosidad paraguaya,** p. 16.
7. Bray Arturo. **Armas y letras,** p. 97. (parte de Eusebio Ayala y O'Leary).
8. Miraglia, Luigi. "Los Guayakí: raza trepadora", en **Suplemento antropológico de la revista del Ateneo Paraguayo,** Vol. 4, N° 2, diciembre de 1969, Asunción, pp. 133-134.

INDICE

Prólogo 7
Introducción del autor 9

Capítulo I
En donde se habla de las escuálidas pretensiones de
este ensayo y se describe el esfuerzo realizado en
su perpetración 13

Capítulo II
Donde el Doctor Francia busca un hueso sin encontrarlo . 27

Capítulo III
Dos países en uno 41

Capítulo IV
Abominación fanática de la palabra escrita y
reivindicación de los versitos del truco 53

Capítulo V
Con la ayuda de Doña Petrona se realiza una decidida
incursión en el terreno de la gastronomía folklórica. 67

Capítulo VI
En donde se olfatean algunas claves de la China
Sudamericana y se realiza un paseo con Olaf el Vikingo . 85

Capítulo VII
Aquí se comprueba una vez más que no es oro todo lo que
reluce y es mejor confiar en una pluma de Kavure'i 105

Capítulo VIII
En donde una rueda no cesa de girar y hay tiempo de
tomar un baño de luna 117

241

Capítulo IX
Una edad de oro sin un cobre 129

Capítulo X
En donde se celebra con inocultable alivio que en lo
alto del gallinero habitan gallinas y no elefantes 145

Capítulo XI
Aparece el hombre invisible y se insinúa un tratado de
técnicas de supervivencia con digresiones sobre Química,
Física y Parapsicología 161

Capítulo XII
Aparición de tres monos del oriente y explicación de la
táctica de las arañas 171

Capítulo XIII
Teoría del conflicto o las bondades del "Freezer" 185

Capítulo XIV
La doctrina del "Chake" e instrucciones sobre como no
pisar una "Mboichini" 197

Capítulos XV
La cultura del "Requecho" y los tres gestos de José Gill . 213

Capítulo XVI
La tradición del "Pokaré" y técnicas diversas de alteración
de las superficies sustentantes junto con algunas
proposiciones metafísicas 225

Se terminó de imprimir
en setiembre de 1993
en **QR Producciones Gráficas**
Tte. Fariña 1036
Tel. 214 295